KB195860

슬픈
대학원생들의
초상

슬픈 대학원생들의 초상

발행일: 초판 1쇄 2016년 6월 15일

글: 제29대 고대원총 이음지기
그림: 김채영
책임편집: 문은숙
경영지원: 안진희
펴낸이: 박진성

디자인: 엔드디자인
종이: 상산페이퍼
인쇄: 천일문화사
제책: 바다제책사

주소: 서울시 마포구 성산동 290-1 삼지빌딩 201호
전화: 02) 322-0640
팩스: 02) 322-0641
e-mail: seosubi@hanmail.net

ISBN 979-11-85025-27-8 03300

슬픈 대학원생들의 초상

시즌 1

글 제29대 고대원총 이음지기 | 그림 김채영

북에디션
BOOK
EDITION

/ 차 례 /

/ 서문 /

많은 사람이 대학원 사회에 문제라는 것이 존재한다는 사실조차 모르고 있습니다. 대학원생은 그저 '돈 걱정 없이 여유부리는 사람', '부모 덕에 취업난 모르고 책장이나 펼치는 사람'으로 비춰집니다. 그들이 대학원 생활의 어려움이나 일상적으로 겪는 암울한 현실을 토로해도 "네가 선택한 길인데 뭐가 불만이냐", "하고 싶은 일 다 하고 살면서 팔자도 좋다"는 식으로 누구도 관심을 갖고 공감해주지 않는 게 현실입니다.

이대로라면 대학원생 문제의 진정한 해결은 이뤄지기 어려울 수밖에 없습니다. 국민이 관심을 가지지 않는다면 정치인들도 관심을 두지 않을 것이고, 저 완고한 대학교 당국은 지금껏 늘 그래 왔듯 여전히 대학원생 문제를 방기할 것이기 때문입니다. 이렇게 대학원생의 문제를 지금처럼 외면하기만 한다면, 한국 학계의 미래는 어떨까요? 연구자가 제대로 대접받지 못하는 나라에서 날카로운 지성의 힘은 배양되기 어려울 게 당연하고, 앞으로 이 나라에서 '노벨상' 같은 건, 꿈조차 꿀 수 없게 될 것입니다.

'대학원생 인권 문제' 개선을 위한 목소리가 필요한 이유도 바로 여기에 있습니다. 대학원생 연구자들의 열악한 현실을 개선함으로써 한국 학계의 미래 발전을 위한 단초를 마련하는 것, 이것이 바로 저희 고려대학교 일반대학원 총학생회의 궁극적인 목표입니다. 하지만 대학원생 문제에 사회적 관심이 전무한 현재 상황에서, 일단은 많은 분께 대학원 사회의 실상을 알려야겠다고 생각했고, 이렇게 웹툰을 연재하여 책으로까지 엮게 되었습니다.

교수에게 폭행이나 성추행을 당하고도 이렇다 할 반항조차 할 수 없었던 대학원생, 공들여 쓴 논문을 빼앗기고도 항의하지 못하는 대학원생, 선배들에게 괴롭힘을 당하는 대학원생 등, 이 책에는 그동안 감춰져 있던 한국 대학원들의 처절한 암면이 고스란히 그려져 있습니다. 그러나 어쩌면 책을 펼쳐보실 여러분들께서는 고개를 갸우뚱하실지도 모릅니다.

'설마 이 정도겠어? 만화니까 과장을 좀 했겠지.'

안타깝게도 이 웹툰에 그려진 이야기들은 조금도 과장이 아닙니다. 실제 사연들에 비교한다면 웹툰의 내용은 오히려 초라할 정도입니다. 지금도 많은 대학원생이 이해할 수 없는 인격적 모독과 부당행위를 겪으면서 학업을 이어가고 있습니다. 만화보다 더 끔찍한 현실을 아무런 말없이 참고 있습니다. 이런 구린내 나는 상아탑의 진실을 헤아리며 읽어주셨으면 좋겠습니다.

웹툰을 제작하면서 많은 분의 도움을 받았습니다. 제보하기까지 힘든 결정이었을 텐데도 〈슬픈 대학원생들의 초상〉 연재 팀에 눈물겨운 사연들을 보내주신 많은 대학원생 여러분께 우선 감사의 말씀을 올립니다. 또 저희 웹툰을 학내 구성원들에게 알리고 사연 모집에 힘써주신 전국대학원 총학생회협의회의 대학원 총학생회 여러분께도 감사합니다. 특히 열악한 재정 상황에도 〈슬픈 대학원생들의 초상〉 제작에 드는 비용을 후원해주신 서울과학기술대학교 대학원 총학생회, 서강대학교 일반대학원 총학생회, 한양대학교 일반대학원 총학생회, 중앙대학교 일반대학원 총학생회의 구성원분들, 그리고 익명으로 저희 웹툰에 대한 후원금을 보내주신 많은 네티즌 여러분들과, '다음 스토리펀딩'을 통해 후원해주신 여러분께 마음으로부터의 깊은 감사의 말씀을 올립니다. 그리고 지금 책을 펴든 여러분, 여러분께 감사합니다. 대학원생 인권 문제를 개선하기 위해 저희는 더 노력하는 모습을 보이겠습니다.

〈슬픈 대학원생들의 초상〉 스토리 작가

고대원총 학술국장 염동규

• 이 웹툰은 대학원생들의 경험을 바탕으로 각색된 허구입니다.

제1화

교수의 주먹

: 폭행과 욕설세례 A교수의 만행 :

많은 대학원생이 학부 시절과는 너무나도 다른 교수님의 모습을 몹시 낯설어하곤 합니다. 그러나 어찌 보면 당연한 일일 것입니다. 학부 과정과는 다르게 대학원 과정부터는 본인의 연구 역량을 키우는 게 가장 필수적인 일이고, 그렇기 때문에 혹독히 다듬어져야 하는 단계가 분명 필요할 테니까요. 교수님들은 대학원생들의 잘못된 글과 연구 결과, 실험 데이터들에 대해 '제대로 해야 하고, 더 잘해야 한다'며 압박합니다. 대학원생들은 그런 가르침을 발판 삼아 진정한 연구자의 길로 들어서게 될 것입니다.

그런데 만일, 교수가 폭행을 가한다면 어떨까요? 연구와 무관한 심부름으로 시간을 계속해서 할애해야 하고, 더구나 그 때문에 모욕적인 말을 들어야 한다면 어떨까요? 단지 굽신거리지 않았다는 이유만으로 갖은 욕설을 들어야 한다면 어떨까요? 이것 또한 진정한 연구자로, 학자로 거듭나기 위한 과정인 걸까요?

지난 2014년 대통령직속청년위원회에서 발표된 「대학원생 연구환경실태 보고서」에 따르면, 전체 대학원생의 무려 22.8%에 달하는 학생들이 교수님 혹은 선배로부터 신체·언어적 폭력을 받아본 경험이 있다고 답변했습니다. 수치스럽고 모욕감을 주는 폭언과 폭행은 극히 일부에서 일어나는 일이 아니라는 것입니다.

대체 어떻게 이런 일이 비일비재하게 일어날 수 있는 것인지, 어째서 이렇게 잘못된 행태가 근절되지 못하는 것인지, 조금만 따져보면 생각보다 답은 간단합니다. 이는 대학원에 만연한 '잘못된 권력관계' 탓일 겁니다. 아래의 그래프를 살펴보면 '슬픈 대학원생들의 초상'이 더 빠르게 이해될 것입니다.

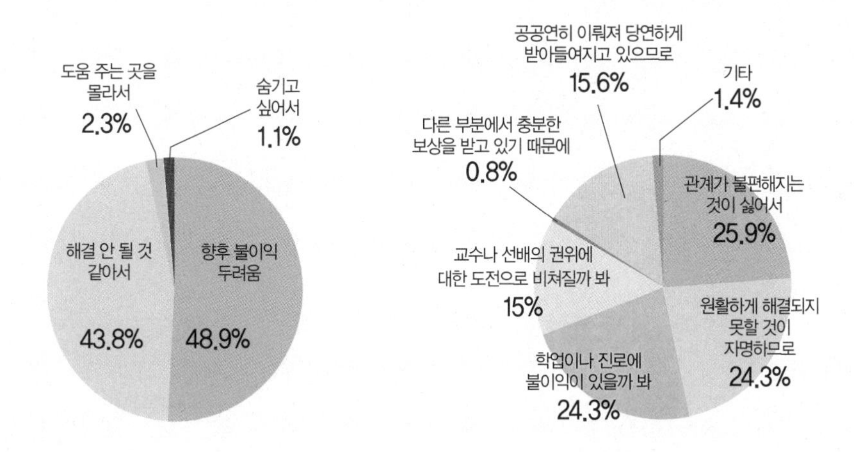
도움 주는 곳을
몰라서
2.3%
숨기고
싫어서
1.1%
해결 안 될 것
같아서
43.8%
향후 불이익
두려움
48.9%
공공연히 이뤄져 당연하게
받아들여지고 있으므로
15.6%
기타
1.4%
다른 부분에서 충분한
보상을 받고 있기 때문에
0.8%
관계가 불편해지는
것이 싫어서
25.9%
교수나 선배의 권위에
대한 도전으로 비쳐질까 봐
15%
원활하게 해결되지
못할 것이
자명하므로
24.3%
학업이나 진로에
불이익이 있을까 봐
24.3%

두 그래프에서 알 수 있는 것처럼 대학원생들은 자신들이 겪는 부당처우를 '참고 넘어가는' 경우가 많습니다. 향후 불이익이 두렵거나, 어차피 해결되지 않을 일이라는 인식이 강한 편이지요. 자칫 문제를 제기했다가 교수님의 눈 밖에 나게 되면 논문 심사와 졸업, 나아가서는 취직의 길까지도 위협받을 수 있는 처지이기 때문입니다. 막강한 권력을 지닌 교수님과 선배는 아무런 견제도 받지 않는 것입니다.

〈1화 : 교수의 주먹〉은 교수로부터 폭행을 당한 어느 대학원생의 이야기를 담고 있습니다. 교수의 폭언을 참다 참다 용기를 내어 비판했다가, 얼굴이 피투성이가 되도록 무력하게 얻어맞은 한 대학원생의 이야기입니다.

눈앞에 안드로메다 은하가 보인다.

어머니 죄송합니다.

그런데 저도 몰랐습니다.

정말이지 눈곱만큼도 예상치 못했습니다.

대학원에 와서 설마……

정신이 좀 드냐?

어? 이 새끼가 왜 여기에 있지?

교수님이
걱정 많이 하시더라.

교수? A교수를 말하는 건가?
어제 그놈이 교수였나?
맞다. 교수였지.

무슨 일이었더라?

벌떡!!
편하게 누워, 편하게!
그냥 걱정돼서
와 본 거니까!
어제 일…
기억나지?

강원도로 세미나를 온다고
아침부터 푸닥거리했던 일은
기억이 난다.

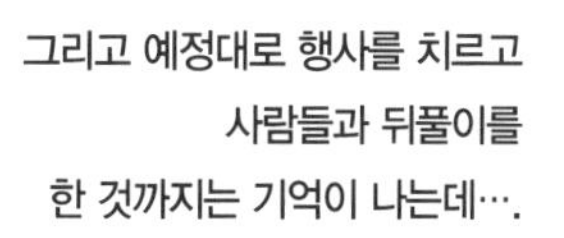

그리고 예정대로 행사를 치르고
사람들과 뒤풀이를
한 것까지는 기억이 나는데….

아. 맞다.
그런 일이 있었지.

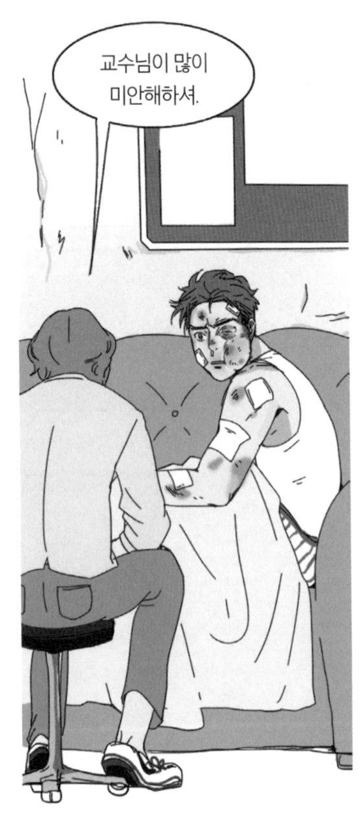
교수님이 많이
미안해하셔.

나는 원래 사람들한테 피해 주는 것을 끔찍하게 싫어한다.
때문에 무슨 일이든 적당히 못 한다고
언제나 핀잔을 듣기 일쑤였다.

다른 학생들이 신경 쓸 일은
만들지 말자는 게 내 신조였고,
조교로 있는 동안의
마지막 행사인 세미나도
깔끔하게 마무리하고 싶었다.

그런데 이번에도 언제나처럼
A교수가 나타나 모조리 망친 것이다.

너 거기서
뭐 하냐????

아직도 안 나가고!
느려터져선…
빨리 못 끝내??

A교수의 만행은 대학원생들 사이에선
공공연한 비밀이었다.

학부생들 사이에선 젠틀하고
제법 인기도 있는 것으로
알려져 있지만

자신의 지도 대상인 대학원생들에겐
기회만 보이면 누렇고
퀴퀴한 속내를 드러냈다.

고분고분한 학생들은 그나마 나았지만
조금이라도 자기 말에 토를 달거나 반항
한다 싶으면 가차 없는 보복이 날아왔다.

그의 연구조교인 강이 전자의 경우였고,
내가 바로 후자였다.

학비를 마련하기 위해 학과조교를 맡으면서부터
그는 기회만 되면 사사건건 내게 시비를 걸었다.

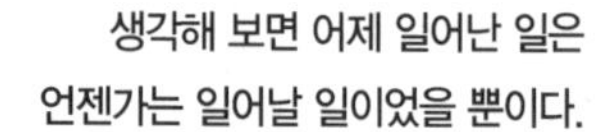

생각해 보면 어제 일어난 일은
언젠가는 일어날 일이었을 뿐이다.

세미나 당일 아침,
출발시간이 40분 정도 지나도
A교수는 나타나지 않았다.

9시는 한참 지났는데…

아직도 안 받으셔?
한 통만 더 할게요!!

연락 안 받기로 작정이라도 한 건가!

이미 시간이 이렇게 되었으니
A교수도 이해할 거야.
그냥 갑시다.
예… 그렇게 하죠.

부르릉….

A교수는 점심 시간이 되어서야
슬그머니 무리에 합류했다.

다들
식사는 잘
하고 계신가?

에휴…
딱 보니
기분
잡쳤구만.

행사 내내 나도 모르게 그의 눈치를 살폈고,
찜찜한 기분은 가시지 않았지만 세미나는 별 탈 없이 진행되었다.
나 또한 이리저리 뛰어다니며 사람들의 뒤치다꺼리를 하느라
그의 기분까지 신경 쓸 겨를이 없었다.

내가 교수님께 죄송하다고
말했어야 했던 것일까?
사실, 죄송하다고
할 만한 일이었는지
생각하고 있을 여유조차 없었다.

사건은 뒤풀이 자리에서 불거졌다.

그날도 A교수는 여학생 하나를 붙잡고
계속해서 술을 권하고 있었다.

하아…
저런 미친….

아! 오늘 아침에는
제가 늦어서 죄송했습니다.

저희 애가 아파서
병원에 좀 갔다 왔거든요.
당신이
기러기아빠인 걸
온 세상이
안다.

정신 차려보니까
전화가 20통이나
와 있더군요.

김 군한테.

우선은 그런대로
넘어가는 듯했다.

나는 나대로
취해갔으며

그도
마찬가지였다.

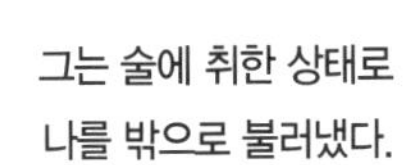

그는 술에 취한 상태로
나를 밖으로 불러냈다.

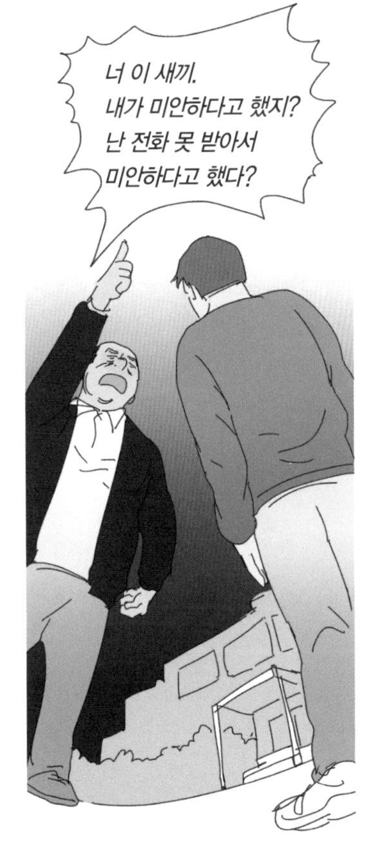
너 이 새끼.
내가 미안하다고 했지?
난 전화 못 받아서
미안하다고 했다?

버럭!
너 이 새끼, 조교 주제에
교수를 떼놓고 버스를 출발시켜?

죄송합니다. 교수님.

죄송하다는 말은 습관이었기 때문에

아무렇지도 않았다.

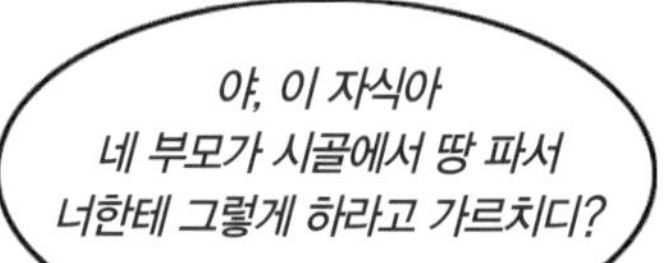
야, 이 자식아
네 부모가 시골에서 땅 파서
너한테 그렇게 하라고 가르치디?

그리고 새끼야,
말로만 죄송하면 다야?
죄송하면 무릎 꿇어!
무릎 꿇고 싹싹 빌어야지.

술에 취하지 않았다면 나는 어쩌면, 그의 말대로 무릎을 꿇고
시키는 대로 싹싹 빌었을지도 모른다.
그러나 다행히도 나는 그렇게 하지 않았다.

소똥만도 못한 인간이다.
소똥만도 못한 학위다.

그냥 그 순간에는, 이렇게까지 해야만 받을 수 있는 학위라면
그냥 다 때려치우고 부모님 계신 고향에서
소똥이나 치우면서 사는 게 낫겠다는 생각이 들었다.
그냥 처음으로 그런 생각이 들었다.

싫은데요?
그리고 교수님 저한테
미안하다는 말
아직 안 하셨…
퍼억!!
퍽! 퍽!.. 퍽..

야, 너 진짜 먼지 나게 맞았어. 진짜 미친 사람처럼 때리더라. 코너에 몰아놓고…
솔직히 완전히 취한 것 같지도 않던데….
눈치 없는 새끼, 쪽팔리게…
근데 너… 맞는데도 멋있더라. 난 진짜 A교수, 그 쓰레기 같은 인간한테, 한 번도 NO! 라고 대답한 적 없어.
??? 너 방금 뭐라고…
너 맞는 거 보고 어젯밤에 한숨도 못 자고 생각 많이 했다.
이런 나라도 뭐든 할 수 있는 게 있으면 해야겠다고.

너 앞니도 깨졌던데.
그 돈 다 네가 낼 거야?
어디가
어째???
아….
인아 나았네.
(진짜 나갔네)
이 교우 애끼….
(이 교수 새끼)
흐…
흐흐흐흐흐흐흐………….
들썩
지금 웃냐?
들썩

흐하하하하하…!

"대학원생은 대학원 내에서 일어나는
부당한 권력 행사를 거부할 권리를 갖는다."

- 고려대학교 대학원생 권리장전 제10조 3항 -

FIN

제 2 화

이해하는 학생

: 밤새 연구한 논문 도둑맞은 대학원생 :

대학원생 연구자들에게 '논문'이란 남다른 의미가 있습니다. 그것은 학문적 연구를 위해 하루하루 쌓아온 노력이 빚어낸 소중한 결실이며, 눈에 넣어도 아프지 않을 자식 같은 존재입니다. 연구자의 노력과 그 가치에 대한 평가는 결국, 논문의 질과 그 편수로 인해 좌우됩니다.

그런데 많은 이공계 대학원생들이 자신이 연구하고 실험하여 작성한 논문을 두 눈을 뜬 채 도둑맞는다고 합니다. 개인의 독창적인 성과물로 인정되어야 할 논문을 누군가가 가로채고, 연구 성과에 기여한 부분도 없으면서 뻔뻔하게 이름을 걸치는 일이 비일비재하다는 것이지요. 이것이 오늘날 대학원생들이 겪는 현실이고 현재입니다.

다음은 2015년도 10월호 《과학동아》에 "논문에서 내 이름이 사라졌다"라는 제목으로 게재된 기사의 일부입니다.

> "생물학 · 의학분야 연구자들의 온라인 커뮤니티인 '생물학연구정보센터(이하 브릭)'가 지난 2015년 7월 이용자 1,164명을 대상으로 진행한 '논문 저작권 관련 진단' 설문조사를 보자. 전체 답변자의 48%가 "최근 3년간 저자 순서교체나 저자 끼워 넣기 등의 연구 부정행위와 갈등을 경험했다"고 답했다. 바로 옆에서 목격한 사람까지 포함하면 66%에 이른다. 소수가 겪은 문제가 아니라 보편적인 일이라는 뜻이다."

무려 66%에 달하는 생물학, 의학 분야 연구자들이 연구 부정행위를 목격하거나 경험한 적 있다는 이 같은 보도 내용은, 오늘날 이 나라의 대학원들이 얼마만큼이나 연구자들의 노력을 무시하는지를 극명하게 보여주는 결과라고 생각합니다.

또한 2015년 국가인권위가 위탁 실행한 〈대학원생 연구 환경에 대한 실태조사 보고서〉에도 이처럼 연구 성과를 무시당하는 실상들이 분명히 언급되어 있습니다.

• 연구성과 명의권	- 교수의 논문작성, 연구 수행의 전체 또는 일부를 대신했다. - 교수에 의한 아이디어나 논문(리포트) 내용을 도용당한 경우가 있다. - 학술지 게재 논문에 교수의 이름을 올려줄 것을 강요받았다. - 선후배, 동료들의 논문이나 연구성과를 위해 공동으로 노력하였으나 공동저자나 제1저자 등으로 등재되지 못한 경우가 있다. - 선후배, 동료에 의해 아이디어나 논문(리포트) 내용을 도용당한 경우가 있다. - 연구에 참여하지 않은 연구자의 이름을 학술지 게재논문에 올리도록 강요받은 적이 있다.

지금 대학원생들이 피부로 겪고 있는 연구 성과 갈취의 현실을 '어쩔 수 없는 관례'로 치부하고 방치하기만 한다면, 앞으로 한국의 학계는 가치 있는 지적 성취를 이끌어내지 못할 것입니다. 연구자의 독창적인 아이디어를 기반으로 한 연구 결과에 대하여, 연구자 본인은 제1 저자로서의 저작권을 가질 권리가 있습니다.

〈제2화 : 이해하는 학생〉은 대학원생들의 권리를 정당하게 인정해주고, 나아가 그 권리를 보호해주는 사회가 만들어지기를 소망하는 마음으로 담아냈습니다.

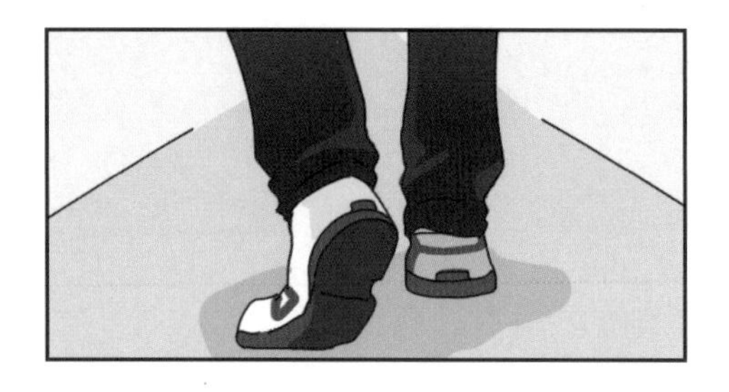

내가 박사과정에
진학한 학문은 인기가 없다.

인기가 없으니
연구비도 적다.

좋은 아침입니다~!!

돈이라면 다 되는 세상에서 요즘 돈도 안 되는 학문을,
누가 고생스럽게 하려 하겠나.

다들 잘 있었니?

그래. 한편으론 당연한
일이라고 생각한다.

하지만…

오늘도 열심히 해보자!!!

그렇다고 해도 나는 즐겁다.

오늘도 또 학계에
한 획을 그어볼까요~
끼익
일단 지난번에…
어?
안녕하심까!!
교수… 님이 아니라 선배…
어.
쿵
끼익..
어떻게 저럴 수가 있지?
뭘 열심히
해본 적이 없는 것 같아.

실험실 K선배…
선배는 일하지 않는다.
왜 일을 하지 않는지
난 이해할 수 없다.

틱 틱 틱…
왔냐

어 안녕하세요, 교수님.
그래, 내가 정신이 없어서
너네 하는 걸 하나도 신경을 못 썼네
지난 실험 데이터 얼마나 뽑았어?

나 없는 동안 다
해두라고 했지?

아
넵!!
제가 삼 일 밤을
꼴딱 새우고
추려놨습니다!!

처음에 배양하던
샘플이 좀 잘못돼서
다시 시작했는데…

그래도 이제 거의
마무리 단계…
이거 그대로 K한테 넘겨.

네가 이거
잘 마무리해.
어버버…

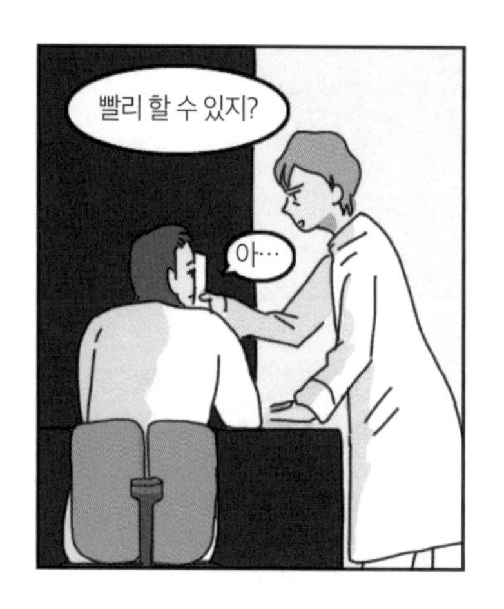
빨리 할 수 있지?
아…

내 3일….
멍~

그래, 이해하자.
일 안 하는 선배에게 굳이
일을 시키려고 하는
교수님의 마음을.

다음날
야, 내가 데이터 정리하느라 바쁜데 저거 샘플 좀 대신 뽑아주라.
그게 귀찮아서 나를 시키냐?!!
그래, 어차피 원래부터 일은 내가 거의 다 하니까

그런데 이번엔 좋지 않은 예감이 든다.

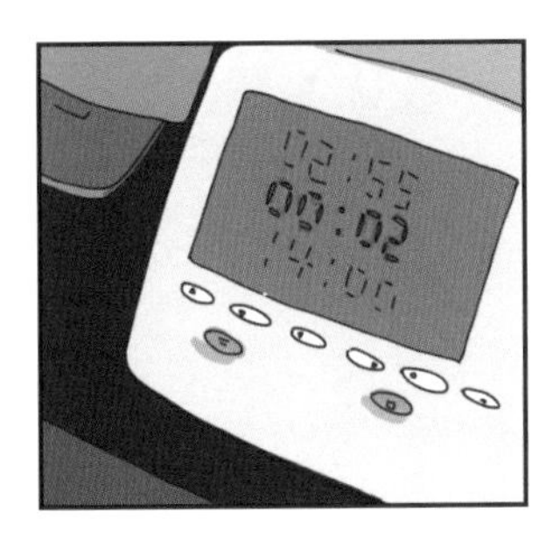
02:55
00:02
14:00

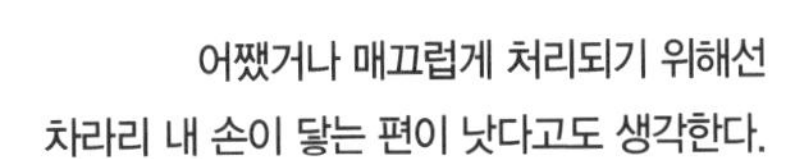

어쨌거나 매끄럽게 처리되기 위해선
차라리 내 손이 닿는 편이 낫다고도 생각한다.

그리고 무엇보다…

내 손으로 만들어낸 숫자들이
점점 결과를 보여가는 모습이
뿌듯하다.

부모님은 나를 '내놓은 자식'이라고 한다.

동생은 이미 대기업에 취업해 돈을 벌고 있다.

언젠가부터 명절이 되면
연구실 핑계를 대고 서울에 남는다.

그래도 나는 버틸 수 있다.
내가 진학한 학문은

앞으로 사람들이 살아가는 데 꼭 필요하다고 생각하니까.

어느 날

교수님이 내게
논문을 쓰라고 했다.

별다른 말씀은 없으셨지만,

지금까지 내 노력을 지켜봐 주고 계셨구나!

가십셔!!
꾸벅
그래

피자 먹을래?
모일 만큼 모인 것 같네.
넵! 곧 정리해서 본격적으로 쓰려고요.
이 논문에 K랑 같이 이름 올리는 거 알지?
같이…요?

데이터 결과도,
실험 과정도
전부 내 손으로 한 일인데,

내가 지금까지…

말씀 들었지?

적당히
잘 써보자.

네….

이해가 안 되는데
거긴…

손도 안 대본 선배는 일을 잘 모른다.
당연히 진도가 나갈 리가 없다.

아… 진짜 쓰기 귀찮다.

그래도 지금껏 노력해왔으니, 결과를 망치고 싶지 않다.
그리고 어제, 논문이 나왔다.

어디 한번
읽어볼까~ ♥

왜 K선배 이름이
앞에 쓰여 있는 거지?

뭐야
진짜……

그래도 논문 가장 아래에,
아주 작은 글씨로 이런 문구가 적혀 있다.

The first two authors contributed equally to this work
...equally?

그래, 선배도 졸업을 해야겠지.

교수님도 선배를 먼저
졸업시키고 싶으셨겠지.
그러니까 논문이 필요하겠지.

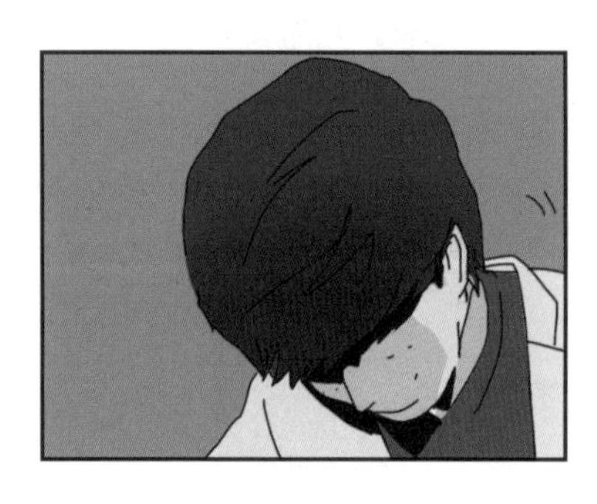

이해하자.
아주 논문을 빼앗긴 것도 아니니까.
그래.
이해해보자. 이해.

이해…

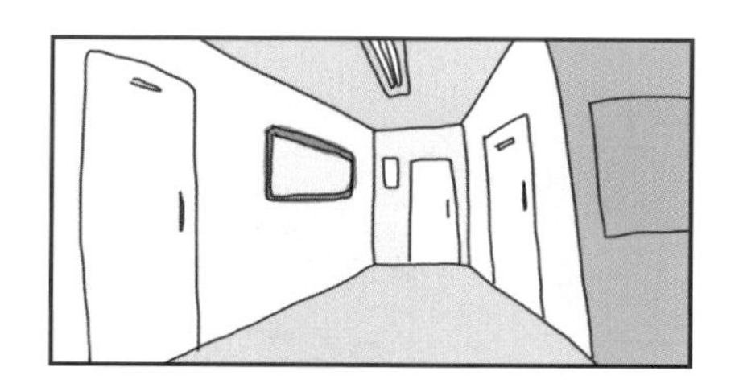

내가 박사과정을 진학한
학문은 인기가 없다.
그래서 연구비도 적다.

월급이 적어도 난 괜찮다.
이 분야가 좋으니까.

그런데 처음으로, 불안하고 두렵다.

나도 선배처럼 일하지 않게 될까 봐.

그렇게 쉬운 인간이 되어버릴까 봐.

우리가
학생인 줄 알아?
착각하지 마.
우린 노예야.
인기도 없고, 연구비도 적게 받는.
노예 중에서도
제일
만만한 노예.
그 말이 왜 지금 생각나는 걸까.
어쩌면, 난 그냥 이렇게,
선배를 이해해버리고 만 걸까.

"대학원생은 자신의 주도적이고 독창적인 아이디어를 기반으로 한 연구결과물에 대해 저작권을 보장받을 수 있다."

- 고려대학교 대학원생 권리장전 제4조 1항 -

FIN

제 3 화

계속할 수 있을까?

: 불이익이 무서워 숨겨진 대학원 성희롱 :

대통령직속청년위원회에서 지난 2014년에 발표한 「대학원생 연구환경 실태 보고서」에 따르면, 약 4.8%의 대학원생이 '성희롱·성추행'을 경험한 적이 있다고 응답한 바 있습니다. 스무 명에 한 명꼴로 일어나는 이런 일들이 적은 수치는 아닐 것입니다. 그런데 더욱이 큰 문제는 이런 일들에 대해 대학원의 제도적 장치가 턱없이 부족하다는 사실입니다. 이런 일이 일어나도 학생 편에서 취할 수 있는 이렇다 할 방법이 없다는 것이지요.

「대학원생 연구환경실태 보고서」를 보면, 교수들로부터 인권침해를 받은 대학원생들 1,354명 가운데 65.3%의 대학원생들이 문제 제기를 하지 못한 채 그저 '참고 넘어갔다'고 대답했습니다.

향후 불이익에 대한 두려움, 어차피 해결되지 않을 것이라는 무기력감……. 많은 대학원생이 이렇게 생각하면서 살아가고 있습니다. 합리적 절차와 제도가 마련되지 않은 상황에서는 문제 제기를 해도 익명이 보장되기 어렵고, 가해자와의 격리는 더욱 쉽지 않습니다. 그렇기에 대학원생은 학업을 포기할 각오를 하지 않고서는 문제제기를 할 수 없는 실정입니다.

대학원생 성추행 문제를 심각한 문제로 받아들여야 하는 이유가 바로 여기에 있습니다. 그들이 대학원의 교수와 선배를 대상으로 자신의 목소리를 내기 위해서는, 아름다운 꿈이라고만 생각했던 '학문의 길'을 완전히 내려놓을 각오를 해야 합니다. 그렇기에 심각한 인권침해에도 '아무 일 없었다'는 듯 묵인하는 쪽을 택하는 것이지요. 4.8%의 숫자들 뒤편에는 어떠한 통계수치로도 환원될 수 없는 대학원생 한 명 한 명의 가슴 아픈 사연들이 자리하고 있을 것입니다.

〈3화 : 계속할 수 있을까?〉 편을 준비한 이유도 여기에 있습니다. 학부 때부터 공부를 좋아했던 주인공이 대학원에 들어가자마자 교수로부터 성희롱적인 말을 듣고 느끼는 이야기를 담아냈습니다.

어디서부터 잘못된 것일까?

여자로 태어났을 때?

'내가 하고 싶은 일'이면 다 괜찮다고 생각한 때?

아니, 어쩌면…

대학원 진학을 결정한 때?

나는 공부하는 데서
나름의 즐거움을 찾았고,
왠지 이 일이라면
잘해낼 수 있을 것 같았다.

교수가 되면,
학자가 되면,

즐거움과 명예를 동시에 누리면서
세상에 가치 있는 무언가를
만들어줄 수 있지 않을까 했었다.

너 진짜 취업준비 안 할 거야?
학문 쪽으로 가면
진짜 고생한다던데…

걱정해주는 건 고맙지만
나는 회사생활이랑은
안 맞는 것 같아.

이곳만은 다를 거라 생각했다.

나는
내가 하고 싶은 일을 할 거야!

등록금은 제가 어떻게든 해결해볼게요. 제가 정말 하고 싶은 일이니까 믿어주세요.
혜인이 대학원 입학 축하~! 캬! 새내기 한 번 더 한다~!
이번에 제가 지도학생 모임 나가거든요. 어떤 옷이 제일 나을까요?
다 어울리세요;;

…이상
발표 마치겠습니다.

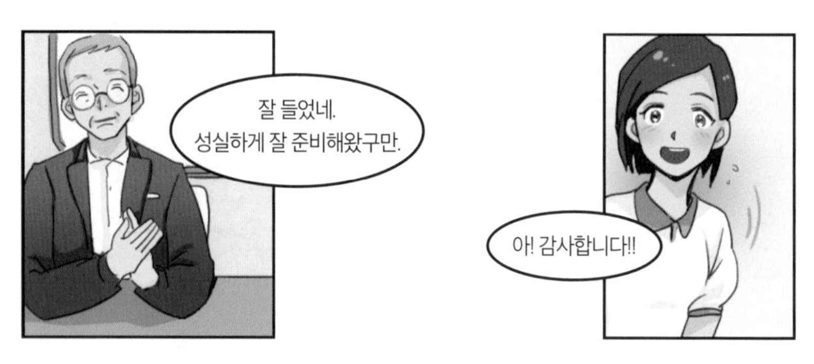
잘 들었네.
성실하게 잘 준비해왔구만.
아! 감사합니다!!

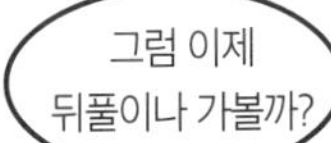
그럼 이제
뒤풀이나 가볼까?

수고하셨습니다~

참, 우리 혜인이는 할 얘기가 좀 있으니까
이따가 같이 앉지.
꾸욱…

건배~!!!
짠—

아, 역시
신입이 따라야
술맛이 나지!

발표도 잘하고
술도 잘 따르고
참 보기가 좋아!

아, 네…

그런데 이대로 넘기기엔
아까운 부분이 많아서
말이야…
스윽

네?
지금 이게…
우리 혜인이가
말이야,
아직
신입이라서
모르는 게 많지?
무슨 상황이지?
내가 따로 여러 가지
가르쳐줄 수가 있어요
누가 좀…!

도와…주…
거 표정 한 번 험악하네.
뭐 대단한 말 했다고.
내 학생만 아니면
어떻게 한번 해볼 텐데…

원래 이런 것이냐고 물었다.

원래 이렇다는 대답이 돌아왔다.

항의한 사람이 없었던 건 아니라고 했다.

선생님
이러시면 안 되는 거 아닙니까?

교수가
그때
뭐라고
했는지
아니?

얘랑 내통하는 놈 있으면
가만 안 둔다!

결국 그 사람 대학원 그만뒀어.
아무것도 바뀌는 일 없이.

그러면 선배는,

선배는 그때
뭘 하신 거죠?
라고 묻고 싶었지만,

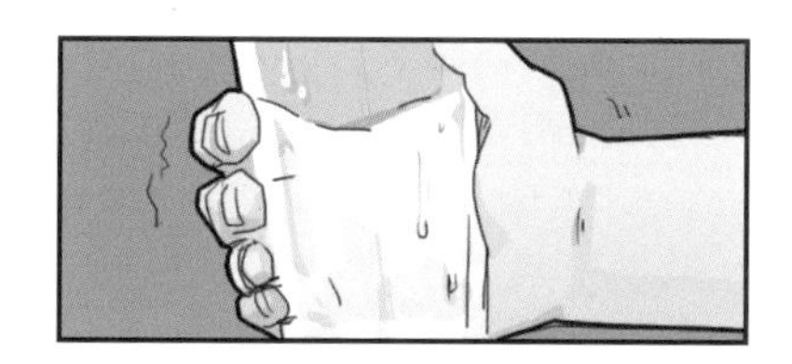

그래, 뭘 어쩌겠어.

라는 생각이 내게도 들었다.

이번 정류장은
…학교 앞입니다
다음
정류장은…

**"대학원생은 성별이나 성적 정체성과 관계없이
성희롱, 성추행, 성폭행 등 대학원 내에서 일어나는
모든 성폭력적 상황을 거부할 권리를 갖는다."**

- 고려대학교 대학원생 권리장전 제10조 2항 -

FIN

제 4 화

뭐가 힘든데?

: 공부하는 '학생맘' 향한 차가운 시선 :

ICE

현재 한국의 대학원생들은 복지 사각지대에 놓여 있습니다. 아주 기본적인 사회적 보장조차도 받지 못하는 실정입니다. 특히 '엄마 학생'들은 철저하게 외면받고 있습니다. 이제는 대학원생들도 사회에서 보장하는 육아 관련 복지를 받을 수 있어야 합니다.

일부 대학을 중심으로 '학생맘'들이 부모협동조합을 만들어 육아와 학업을 병행할 수 있는 환경 조성을 요구한다고는 하지만, 쉽지 않은 것이 사실입니다. '학업을 계속하는 엄마'에 대한 폭력적인 시선이 우리 사회의 전반적인 태도이기 때문이죠. 이번 웹툰에서 우리는 대학원생 엄마들이 보장받지 못하는 권리에 대하여 이야기하고자 합니다.

이번 편은 특히 네티즌들의 반응이 뜨거웠고, 저마다 각기 다른 반응이 나타났습니다. 이번 학생맘 이야기는 비단, 아이를 기르는 한국의 남자 대학원생과 여자 대학원생이 지니는 고충의 무게 차이에서 시작되는 것이 아닙니다. 학교에서 학업을 이어가는 학생이 마땅히 누려야 할, 가장 기본적이고 인간적인 복지 환경에 대한 이야기입니다.

"육아하면서 굳이 대학원 생활까지 병행할 이유가 있는가?" "힘들면 직장을 구하면 되는 게 아닌가?" 이런 편협한 잣대로 학생맘들을 외면할 게 아니라, 이 나라의 보육지원 정책이 그들에게도 닿을 수 있도록 확장되어야 할 것입니다. 교내에 모유 수유 공간과 어린이 보육시설 등을 확충하고 육아 관련 휴학제도를 도입하는 등, 이제는 학생맘을 위한 처우가 제도적으로 마련되어야 합니다. 학생맘에게도 복지 혜택을 베풀어야 학계가 발전할 수 있기 때문입니다.

다음은 서울대 인권센터에서 2015년 여름에 발표한 대학원생 인권실태조사 및 제도개선 연구보고서에서 발췌한 내용입니다. 대학원 내에서

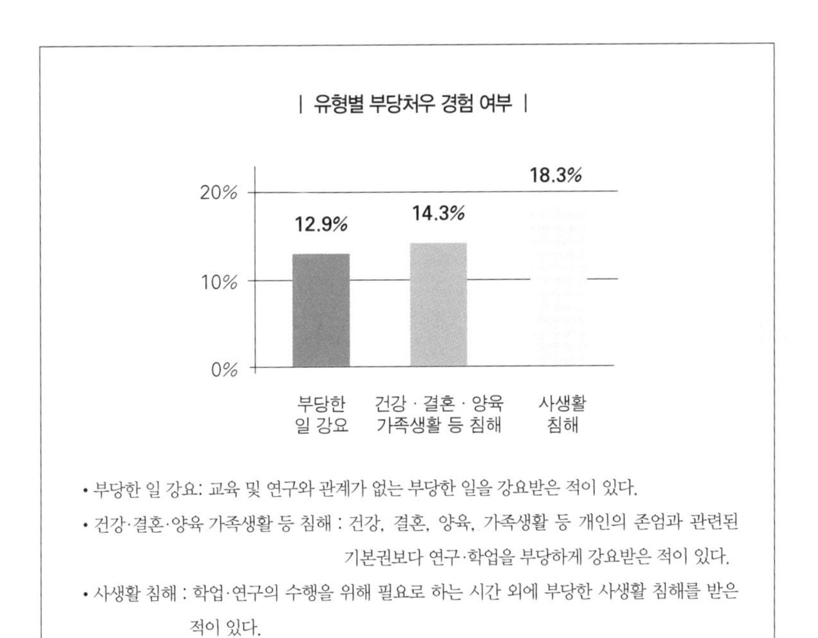
| 유형별 부당처우 경험 여부 |
20%
10%
0%
12.9%
14.3%
18.3%
부당한 일 강요
건강 · 결혼 · 양육 가족생활 등 침해
사생활 침해
• 부당한 일 강요: 교육 및 연구와 관계가 없는 부당한 일을 강요받은 적이 있다.
• 건강·결혼·양육 가족생활 등 침해 : 건강, 결혼, 양육, 가족생활 등 개인의 존엄과 관련된 기본권보다 연구·학업을 부당하게 강요받은 적이 있다.
• 사생활 침해 : 학업·연구의 수행을 위해 필요로 하는 시간 외에 부당한 사생활 침해를 받은 적이 있다.

[서울대학교 인권센터, 〈대학원생 인권실태조사 및 제도개선 연구 보고서〉, 2015]

건강과 결혼, 가족생활 등 개인의 존엄과 관련된 기본권이 침해받고 있는 경우가 무려 14.3%나 됩니다.

출산율 적신호를 보내며, 출산 자체를 장려하고 있는 지금 우리 사회의 한 구성원으로서, 또한 대학원 내의 한 학생으로서, 당당히 육아를 병행하며 학업을 이어나갈 수 있는 엄마가 될 수 있기를 바랍니다. 지금 이 시각에도 학업과 육아를 병행하고 있는 이 땅의 수많은 학생맘들을 힘껏 응원합니다.

4년 전,
결혼을 약속한 우리 부부에게

작은 천사가
찾아왔다.

남편은 박사과정 4년 차.

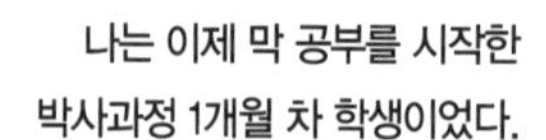

나는 이제 막 공부를 시작한
박사과정 1개월 차 학생이었다.

다녀오겠습니다~!

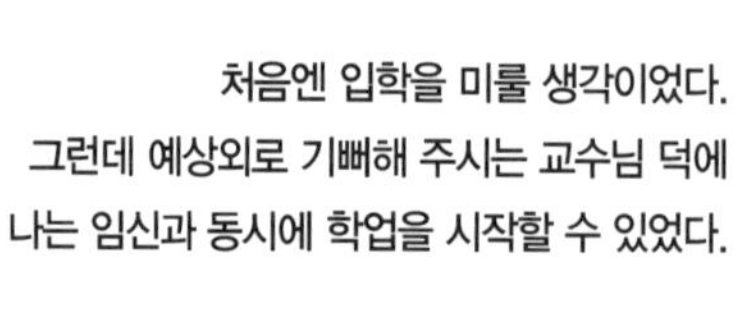

처음엔 입학을 미룰 생각이었다.
그런데 예상외로 기뻐해 주시는 교수님 덕에
나는 임신과 동시에 학업을 시작할 수 있었다.

이때까지만 해도 공부를 하면서 아이를 키운다는 것이
어떤 의미인지 잘 알지 못했다.

임신 6개월 차, 불러오는 배를 부여잡고
대학원생 박사과정의 길을
천천히 시작했다.

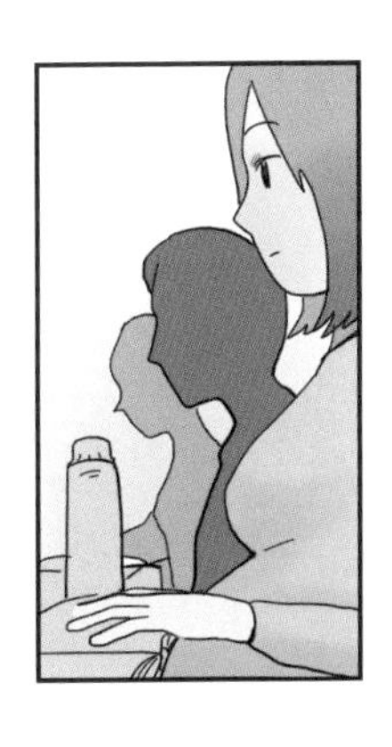

여느 학생들과 다를 것은 없었다.
똑같은 의자에 앉아
3시간짜리 수업을 줄곧 들었다.

배가 불러오는 임산부가 학업을
이어가는 모습이 흔치 않은 학교에서
나는 늘 주변의 시선을 받으며
학교에 다녔다.

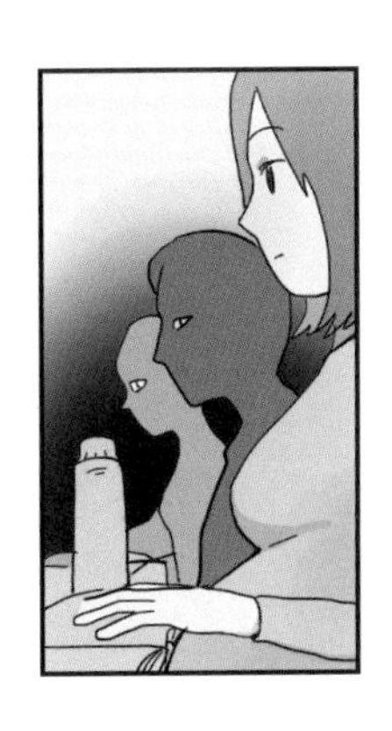

남편과 나는 학생부부였기 때문에 소득이 높지 않았던 터라
저소득계층 임신출산 혜택을 받기 위해 동네 주민센터를 찾아갔다.

어떻게 오셨나요?
아,
저희는 대학원생인데
지원을 좀 받으려고요.
흠, 대학원생은 저희가
취업 능력이 다분하다고 판단을 하기 때문에
지원 대상이 안 됩니다.
괜찮을 거야.
힘내서 잘 살아보자.

그렇게 가난한 임산부 시절이 지났다.

O병원

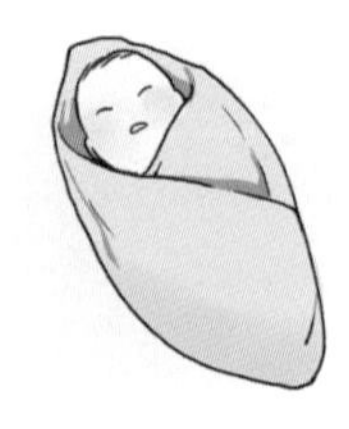

6월.
다행히도 방학시즌쯤에 아이를 낳았다.

굳이 휴학을 하지 않아도
2달 정도는 산후조리에 오롯이
집중할 수 있을 것이라 생각했다.

6
S M T W T F S
7
S M T W T F S

아이가 태어나자마자 학업으로
복귀한다는 것은 상상도 할 수 없는 일이었지만
학업의 연속성을 걱정할 때면,
학업을 놓고 있는 스스로에 대한
자책과 부담이 하염없이 밀려왔다.

8
S M T W T
9

그렇게 두 달 동안의 방학이 지나고

안녕하세요!
아이는 잘 낳았어? 건강하고?

출산과 육아로 인해
미뤄두어야 했던 학업을
다시 시작한다는 것은
정말로 어려운 일이었다.

그럼 오늘은 여기까지 하고…

ICE

특히 모유수유는
나에게 가장 큰 어려움이었다.

교내에 학생맘을 위한 시설이 있을 리 만무했고,
워킹맘도 아닌 주제에 육아휴학을 해볼 수도 없었다.

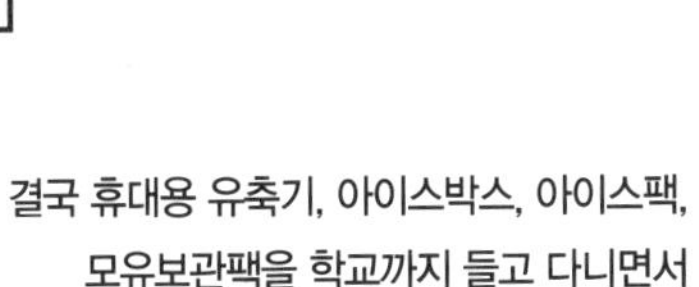

결국 휴대용 유축기, 아이스박스, 아이스팩,
모유보관팩을 학교까지 들고 다니면서

ICE
ICE

아무도 없는 시간을 이용해
유축을 하고 아이스박스에
보관해놓곤 했었다.

수업이 끝나고 나면
밀려드는 과제와 공부는
끝없는 일상의 연속이었다.

게다가 박사과정을 시작한 지
얼마 안 된 무렵이다 보니
학업은 내내 헤매기에 십상이었고,
연구실에서 밤 8시, 9시를 넘기는 경우가
다반사였다.

집은 또 다른 일터가 된다.

다녀왔어요, 엄마!

안녕~
잘 있었니?

이제
엄마랑 같이 있자.
툭

다 하지 못한 과제를 한가득 집에 가져오지만,
다음날 그대로 가져가기 일쑤다.

아이와 놀고, 유축하고, 재우고 나면
끝날 것이라 생각했던 전쟁은
새벽까지 이어진다.

으아아앙

나도 학업에 육아에 힘들지만
밤새 칭얼대는 아이를
달래는 것은 오롯이 내 몫이다.

쿨…
왜 그러니~

남편은 그 시기에 졸업하고
취직을 했기 때문에,
돈을 버는 사람 쪽에 면죄부가 주어진다.

그래 그래~ 다시 자요~

새벽에 우는 아이를 달래다 보면
어느새 유축할 시간이고, 그러다 보면…

모유수유를 끊고 아이도 어느 정도 커서,
생활의 안정을 느끼는 시기가 왔다.

힘든 건 마찬가지이나
수유를 끊었다는 것만으로도 내겐 큰 자유다.

하지만
또 하나의 문제가
도사리고 있었으니…

공부할 시간이 턱없이 부족하니
실력 부족은 너무나 당연한 일이었다.

결국 연구실에서
모든 것을 해결하고
가고 싶었지만

나는 집에 늦게 들어가면
안 되는 사람이다.

하지만 이제는 안 되겠다 싶어
조금 일찍 학교에 가서
좀 늦게 귀가하는 것으로 공부시간을 늘려보려 했다.

다녀왔어요, 엄마.
그래, 어서 와라.

후

친정엄마의 눈치는
각오해야만 하는 일이었다.

미안한데

먼저 잘게
내일 바빠서…
응

일찍와서 아이를 봐야 하는 것은 늘 나였다.
남편은 예외였다.

하지만
나의 과업은 공부다.

어느 날
시댁에서 가족들이 한자리에 모였다.

못 본 사이에
많이 컸네!

하하,
크니까
장난도
많아지고
힘들어~

어이구
힘들다니?
니가 뭐가
힘들다고 그러냐?
너 좋아하는
공부하는데.
애는 사돈에게 맡기고
너는 하고 싶은 거 다 하고 살잖니.
크흠
너 시누 봐라. 직장 다니면서
그 스트레스 다 받지, 애도 키우지,
그러고 다니는데
얼마나 안쓰럽냐.

어느새 나는
나 좋아하는 공부나 하며 편히 살기 위해
돈도 안 벌고 아이도 안 키우고
남편 벌어오는 돈만 축내는
그런 이기적인 여자가 되어버렸다.

학생맘이라면 누구나 그런 마음이 들 테지.

딸이 벌써 24개월이 되었다.
이제 슬슬 어린이집에 보내야 할
시기가 왔다.

주변 어린이집을 뒤적뒤적하면서
단지 내 공공형 어린이집에 상담을 갔다.
워킹맘이십니까?
아니요.
다자녀가정인가요?
아니요.
한부모가정인가요?
아니면 전업주부이신가요?
아니요. 저는
대학원 학생입니다만…

그럼 전업주부입니다.
3순위로 점수는 0점이고요.
대기번호 11번이시긴 한데 계속 밀리실 겁니다.

사립에 보낼 수밖에 없게 됐네.
엄마!

대학원생은 애매하구나.
직장인도 아니고 전업주부도 아니니
사회에서 받을 혜택은 하나도 없구나.

놀이터 가자! 놀이터!

…그럴까?

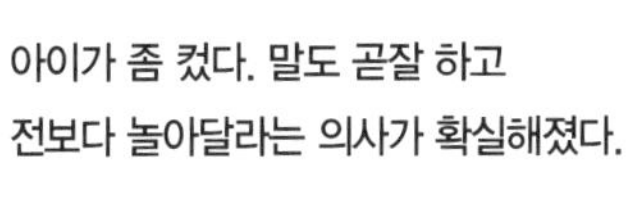
아이가 좀 컸다. 말도 곧잘 하고
전보다 놀아달라는 의사가 확실해졌다.

공부하는 나에겐 더욱 악조건이다.

참 짠하고 안쓰럽다.

아이에게도, 가족에게도 나는 그저 죄인이다.
다른 엄마들처럼 오롯이 같이 있어 주지도 못하고,
돈을 벌어오는 것도 아니고, 정말로 내 꿈을 위해 공부를 계속하는 것이 맞는 걸까?

힘든 3년이었다.
일하는 것과 달리
학업은 시작과 끝이 없다.

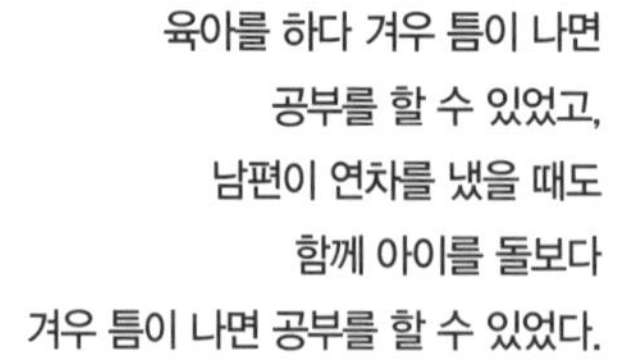

육아를 하다 겨우 틈이 나면
공부를 할 수 있었고,
남편이 연차를 냈을 때도
함께 아이를 돌보다
겨우 틈이 나면 공부를 할 수 있었다.

딸~ 이번 휴가 때는
우리 다 같이 코끼리 보러 갈까?

와!!! 코끼리 좋아!!

그러니 공휴일이나 명절,
어쩌다 생기는 남편의 휴가도
나는 반갑지 않았다.

내게 있어서 공부는 과업이자 업무 중 하나다.
그런데도 주변 사람들은 공부를 과업으로 봐주지 않았다.
공부하는 엄마를 향한 시선은 그리 곱지 않았다.
당장 소득창출이 되지 않기 때문에
공부하는 학생맘은 어디서나 인정받기 어렵다.

나는 이도 저도 아닌
그런 애매한 위치에서 학생 시절을 보내야만 했다.

그러다 보니 나는,

29세라는 젊은 나이에
첫 아이를 낳았음에도 둘째를 생각해본 적이 없다.
또다시 시작할 엄두가 나지 않는다.

누구에게도 이해받지 못하고 아무런 배려도 구할 수 없고
오로지 혼자서 버텨내야 하는 학생맘의 인생이 너무나 고독하고 외롭기 때문이다.

"대학원생은 육아, 보육 등과 관련된 적절한 배려를 받을 권리가 있으며, 학내 보육시설을 이용할 권리를 가지고 있다."

- 고려대학교 대학원생 권리장전 제6조 3항 -

FIN

제5화

사라졌다

: 짓이겨진 푸른 봄날의 꿈 :

자신의 의도와는 상관없이 인생에는 이러저러한 풍파들이 들이닥칩니다. 이렇다 할 대인 관계 없이 오래도록 공부만 하는 삶을 사는 만큼, 대학원생에게는 우울증이 찾아오는 경우가 많습니다. 늘 앉아서 공부하다 보니 허리 통증이 극심해지는 등 건강이 악화되는 경우도 있죠. 이러한 예기치 못한 상황들로부터 자신을 추스르기 위해서는 대학원생에게도 '휴학'할 권리가 보장되어야 합니다.

지금까지 한국 대학원의 어두운 현실에 대해 줄곧 이야기해왔습니다만, 사실 대학원에 다니다 보면 정말 존경스럽고 위대한 교수님들도 많이 만나게 됩니다. 그분들의 논문을 읽을 때면 가슴 한구석에 존경심이 가득 차오르고 언젠가는 나도 그분들처럼 탁월한 논문을 쓰는 학자가 되고 싶다는 생각이 저절로 들 정도입니다. 그러나 문제는, 가장 존경스러운 교수님들조차 오늘날 학생들이 처한 상황에 대해 깊이 이해하지 못한다는 사실입니다.

살인적인 등록금, 수없이 많은 학내 부조리, 한 인격체로서도 인정받지 못하는 대학원생의 현실들……. 피해를 당한 당사자가 아니더라도 위태로운 대학원생의 현실은 주변 곳곳에서 마주할 수 있습니다. 대한민국에서 학업을 이어가는 일이란, 시작부터 힘들었고 앞으로도 밝은 미래를 기대하기 어려운 현실입니다. 마음 따뜻한 교수님들조차 너희가 힘들 게 뭐가 있느냐는 듯 말씀하시기도 합니다. 어떤 교수님들은 학생들이 자신이 원하는 만큼 따라오지 못하면 걷잡을 수 없는 경멸감에 화를 퍼붓기도 합니다. 그러니 교수님들과 대학원생이 서로의 마음을 공감하기란 불가능한 일처럼 느껴집니다.

물론 대학원생은 한 분야의 전문가가 되어야 하는 사람입니다. 따라서 많은 시련과 고통을 이겨내고 당당하게 좋은 학자로서 자리 잡을 수 있어야 합니다. 더 좋은 논문을 쓰기 위해서라면 잠을 줄여야 하고, 오늘의 재밌거리를 포기해서라도 더 많은 시간을 공부에 전념해야 합니다. 우수한 학자가 되는 일이 호락호락하지 않다는 것은 잘 알고 있습니다. 그러나 잠시 학업을 쉴 수밖에 없는, 쉬어야만 하는 때가 올 수도 있습니다.

'대학원 문제'가 늘 그렇듯이, 휴학할 권리 측면에서도 대학원에 따라 받아들여지는 정도가 다릅니다. 어떤 학교(혹은 연구실)에서는 휴학의 권리가 아주 잘 보장되어 있고, 어떤 학교에서는 휴학을 위해서는 '지도교수의 사인'을 받아야만 하는 경우도 있습니다. 후자의 경우, 지도교수가 학생의 처지를 이해하지 못한다면 휴학은 절대로 할 수 없는 것이 되고 맙니다.

지난 1월, 〈슬픈 대학원생들의 초상〉 연재팀에 한 통의 메일이 날아왔습니다. 우울증을 앓던 한 이공계 대학원생의, 도저히 말로 다 할 수 없는 가슴 아픈 사연이었습니다. 반드시 휴학이 필요한 힘겨운 상황이었는데도 교수님은 학생을 조금도 이해하지 못했습니다. '정신이 해이해졌다'고, '너 같은 건 제자로 안 키운다'고 폭언을 가하며 휴학신청 서류를 집어던진 것이지요. 결국 〈5화 : 사라졌다〉 사연의 제보자는 대학원을 그만두고 말았습니다. 학업의 길에서 휘청이는 제자에게 교수님이 해줄 수 있는 것이 쓰리고 혹독한 채찍질뿐이었을지, 다시금 생각해보는 시간이 되길 바랍니다.

주목!! 오늘부터
함께 일할 학부연구생입니다~

제가 다니던 학과는 화학과였습니다.
학부 3학년부터 연구실에
들어갈 수 있는 제도가 있어
그때부터 연구실 생활을 시작했습니다.

안녕~반가워!

아, 안녕하세요.

나중에 정식으로
우리 연구실 들어올 인재니까
잘 대해줘라!

젊고 열정이 넘치시는 지도교수님을 보며
막연히 나도 저렇게 되고 싶다는 생각을 하며
연구실 생활을 시작하게 된 것 같습니다.
그리고…

보다시피 그렇게 넓진 않은데
기본적인 것만 설명해주자면…

제가 연구실을
더 빛나게 만들 수 있을 거라는
자신감도 있었던 것 같습니다.

학부생 때는 대학원생 선배들의
연구보조를 맡아가며 연구실 분위기와 실험을 익혀갔습니다.

어디
잘하고 있나 볼까?
흠… 그래 전에
알려준 대로
잘 따라가고 있네!

잘하고 있으면 칭찬을 해줘야지.
점심 같이 먹으러 나갈까?

교수님은 대단하신
멋진 분이시다.

그러다가 대학원 석사과정에
올라가게 되었죠.

교수님! 이제 정식으로
잘 부탁드립니다!

그래. 이제 학부생 때보다
훨씬 더 굳은 각오로
노력해야 한다.

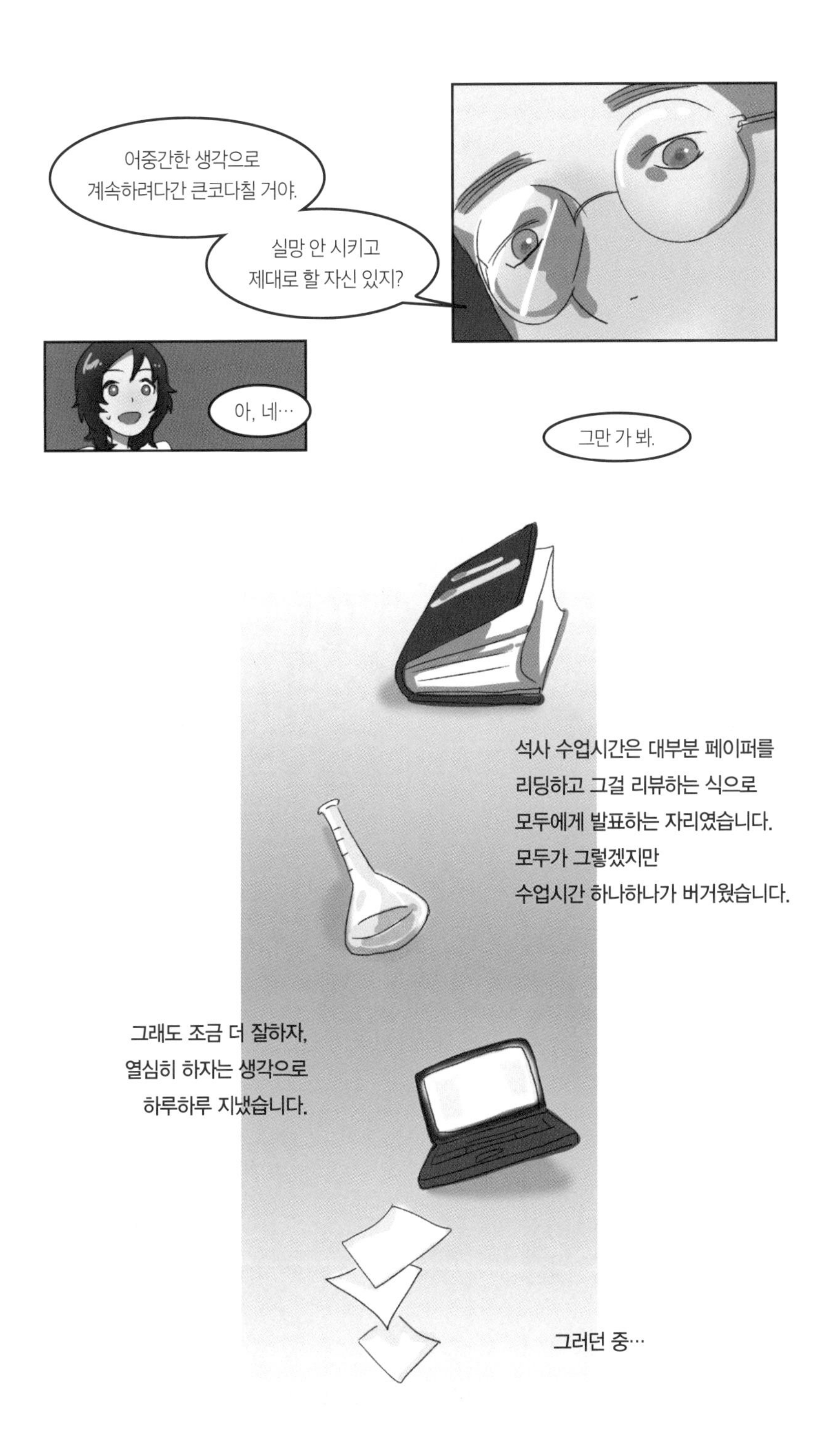
어중간한 생각으로
계속하려다간 큰코다칠 거야.
실망 안 시키고
제대로 할 자신 있지?
아, 네…
그만 가 봐.
석사 수업시간은 대부분 페이퍼를
리딩하고 그걸 리뷰하는 식으로
모두에게 발표하는 자리였습니다.
모두가 그렇겠지만
수업시간 하나하나가 버거웠습니다.
그래도 조금 더 잘하자,
열심히 하자는 생각으로
하루하루 지냈습니다.
그러던 중…

이제 집에 가서 나머지 페이퍼 읽고
방도 치워야겠…
오늘은 꽤
늦게 들어가시네요.
찰칵
네? 네…
옆 연구실 학생인가?
왜 갑자기 말을…
스윽…
덥썩!
야, 조용히 내가
하자는 대로 해라!
소리 지르면 가만 안 둔다…
까드득!!
으윽

홱
아 씨…
가만있으라고 했지!!
꺄아아아아아아…
거기
누구세요!!
털썩
이런 XX
하아
하…
한 달을 고민하다가
교수님께 말씀드렸습니다.

그런 일이 있었다고?
어디 연구실 애인데?

그래 내 선에서 해결보자.
예, 여보세요?
나 최교순데
딸깍
아니 거기 애가 우리 학생이랑 안 좋은 일이
좀 있었나 봐, 그 친구 간수 좀 잘하라고.
됐으니까 가 봐!
휙
일 커지면 골치 아픈 거
잘 알잖아. 그렇지?
그래, 그래.
안녕히 계세요…

그날 이후로 우울증이 왔나 봅니다.
처음에는 주체할 수 없는 자괴감, 공허함이 찾아왔습니다.

그리고…

털
썩!!
우적
후루룩
벌컥
쩝 쩝...

식이장애였습니다.

밤늦게 아무도 반겨주지 않는 싸늘한 자취방에 들어가면서

편의점에서 음식을 잔뜩 샀고

위가 터지고

식도가 터질 만큼 먹어댔습니다.

난 왜…
읍
우웨에엑.
아… 이러고
있을 때가 아닌데.
발표 준비해야 하는데…

밤새는 건 도사가 됐는데
이게 우습게도 수면장애가 됐습니다.

자면 안 된다…
자면 안 돼. 조금만 더 버티자.
안 그러면 발표에서 또…

이 정도 리서치로
충분하다고 생각했나?
이런 건
학부생 수준이잖아!
좀 더 구체적인 데이터를
뽑아왔어야지.

그런데 사람이 잠을 못 자니 머리가 굴러가지 않더군요.

내 말 안 들려??
대체 지금 무슨
실험을 하고 있는 건지
설명해 봐.
교수님…
그러니까… 이게…
어제 결과가 제대로 안 뽑혀서
다시 하는 중인데요…

뭐? 다시??
어디서 재료비 낭비하고 있어.
제대로 하던가
아니면 아예 건들지를 마.

네…

조금만… 조금만 버티자.

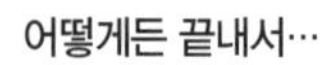
어떻게든 끝내서…

그렇게 스스로를 채찍질하며
겨우 석사 졸업 논문 발표까지 마쳤고,

엉망진창이지만 가까스로
통과할 수 있게 되었습니다.

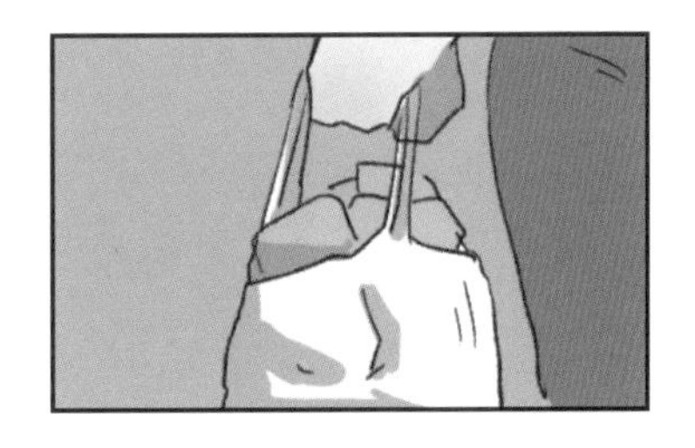

그래… 이 정도인 게 어디야.
앞으로 박사과정 준비하다가 석사 졸업하면 되겠지.

그래…
이 정도면 많이
노력한 거야.

이 정도면….

어… 언제부터
내 꼴이 이렇게…

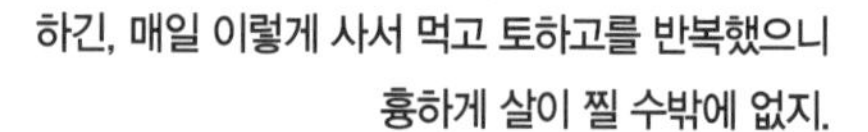

하긴, 매일 이렇게 사서 먹고 토하고를 반복했으니
흉하게 살이 찔 수밖에 없지.

거기에 타이밍 좋게 건선이란 병에 걸리게 됐습니다.

단순 습진이라던 병이 점점 악화되어 갔고
긁으면 피부 살점이 떨어져 피가 났기에
휴지를 들고 다니는 게 일상이 되었습니다.

□□대병원
1동 2동

계속되는 정신적 압박에 스스로 정신건강과를 찾으니
우울증이라고 판정이 내려졌습니다.

꽤 오래 다녀야 할 거라고
의사선생님이 그러시더군요.

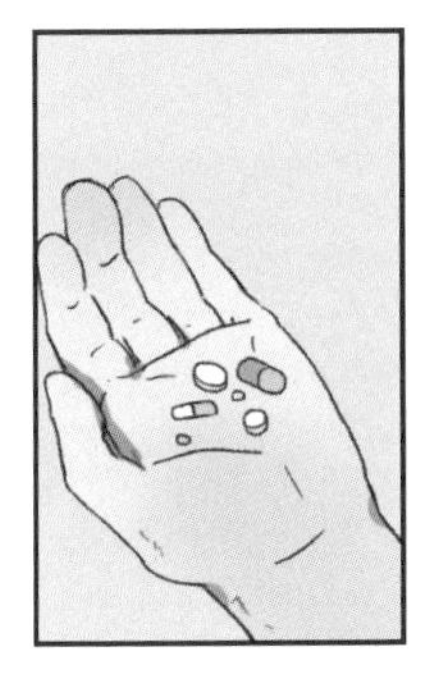

그래도 해내야겠다는 꿈이 있어서
남들보단 느려도 열심히 하자
자신을 토닥거리면서
연구실 생활을 계속했습니다.

야, 아직도 정신 못 차리고 농땡이 피우냐?
지금 1분 1초가 부족할 때인데… 또 지난번처럼 대답 못 하고 넘어가게?
또 제대로 공부도 안 하고 수업 들어와 봐.
돼지가 공부라도 잘해야지.

석사과정 때와는 180도 다른
교수님들의 모습.

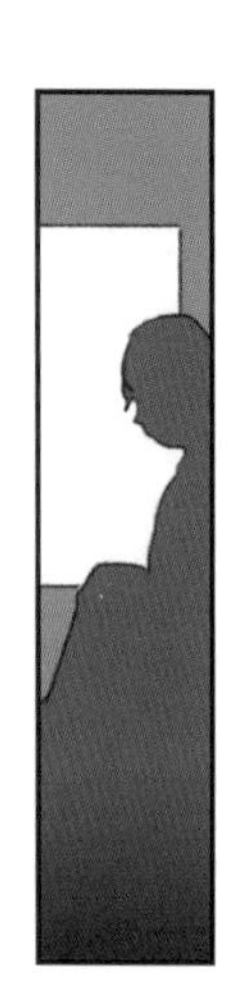

저는 어느샌가 너무 지쳐서 약을 잔뜩 먹고 잠들었습니다.
평일이었지만 아무에게도 연락이 오지 않았습니다.
같은 원생들도, 교수님도.

진단서
휴학신청서

이게 뭐냐?

죄송합니다…
요새 너무 힘들고 아파서…
조금만 쉬고 오겠습니다.
부들..
휴학 신청서
…미쳤냐?
부들…
네 노력과 의지가 부족한 걸
왜 남 탓으로 돌리고 앉았어?
이딴 식으로 사는 거 부모님이 아시냐?

이거 아주 내가 단단히 단속해야겠어. 휴학은 무슨…
매일 운동장 10바퀴씩 돌면서 다이어트하고, 아침에 7시까지 와서 실험하고 매일매일 보고해!

교수님 제발… 저 살리는 셈 치시고 부탁드립니다…
스윽

살리긴 뭘 살려? 됐어, 임마!!

퍽
와르르…

너 이제 내 제자 아니다.
난 인간 안 된 놈은 제자로 못 삼아.

해방감? 보다는 허탈함.
5년 동안 갈아 넣은 청춘이 백지.

그래도 너무 힘들어서,
죽기 싫어서 결정한 이야기.

부모님이 가지 말라고 하셨던 대학원에서
불쌍하게 도망친 딸을 용서해주실까…
걱정됩니다.

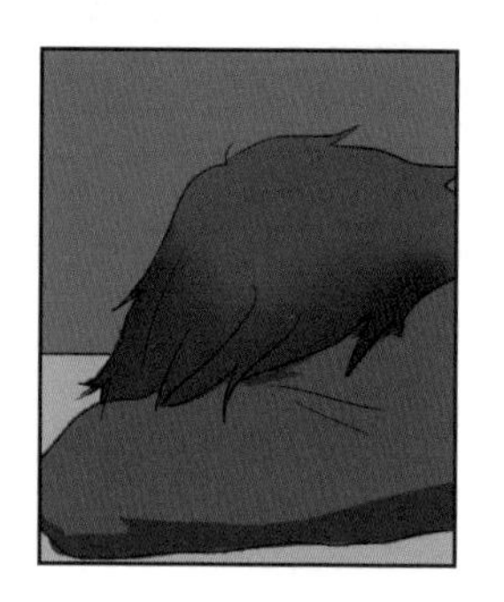

**"대학원생은 건강하고 지속적인 연구 활동을 위하여
병결, 휴학 등의 절차에 불이익을 받아서는 안 되며,
연구 활동 중 충분한 휴식을 보장받을 권리가 있다."**

- 고려대학교 대학원생 권리장전 제13조 1항 -

FIN

제6화

논문 대필자의 생生

: 끝내 삶을 놓아야 했던 절망 :

괜찮아지겠지 생각했던 나에게
찢어질 만큼 속상함을 느끼고 있다.
눈치를 챘어야 했는데... 네가 목숨을
끊을 수도 있겠다는 생각....
했어야 했는데... 미안하

이번 웹툰은 지난 2010년 논문 대필 사건을 폭로하며 스스로 생을 마감하신 故 서정민 선생님의 실화를 바탕으로 만들었습니다. 이야기에 앞서, 가슴 아픈 마음으로 서정민 선생님의 명복을 빕니다.

서정민 선생님은 1993년 성균관대학교 중어중문학과를 졸업한 뒤, 조선대학교에서 영어영문학 석·박사 학위를 취득했습니다. 박사학위를 취득한 2002년 이래로, 서정민 선생님은 조선대, 동신대, 대불대, 전남대, 광주대에서 시간강사 생활을 했고 한국어, 영어, 중국어, 스페인어, 산스크리트어, 일본어를 분석하는 논문을 쓰신 뛰어난 언어학자였습니다.

그러나 서정민 선생님은 10년 동안 무려 54편에 달하는 논문을 대필하신, 교수의 노예이기도 했습니다…….

서정민 선생님이 생을 마감하며 남긴 유서에는 그간 자신이 조선대학교 '조 아무개' 교수 밑에서 썼던 논문들에 관한 이야기가 담겨 있었습니다. '조 아무개' 교수는 교수 자리를 미끼로 자신의 논문은 물론이고 자기 제자들의 석박사 학위 논문까지도 대필하도록 지시했던 것입니다. 그뿐만 아니라 교수 자리를 1억 5,000만 원에 또는 3억 원에 넘기겠다는 등의 부정한 제안도 서슴지 않았습니다.

하지만 이러한 사실들이 폭로되었음에도 조사는 제대로 이루어지지 않았습니다. 유서가 공개되고 파문이 확산되었을 때, 조선대학교 측은 보도자료를 내어 "진상조사위원회를 꾸려 정확한 진상을 조사하겠다"고 말했습니다. 그러나 진상조사는 어처구니없는 방식으로 이루어졌습니다. 조사위원회의 구성원들이 대부분 조 아무개 교수의 동료와 제자들로 이루어져 있었다는 점부터가 문제였습니다. 나머지 구성원들 역시 정교수들

뿐이었으니, 지도교수에게 발이 묶인 시간강사의 처지를 이해할 리 없었습니다.

그 결과 조선대학교가 꾸린 조사위원회는 돌아가신 서정민 선생님이 마지막 유언장의 내용을 단순한 '주장'으로 치부했습니다. 반면에 조 아무개 교수의 반론은 '사실에 가까운 증언'으로 받아들였습니다. 양측의 주장이 분명히 엇갈리고 있음에도 조선대학교 측은, 답은 이미 정해져 있다는 듯 편파적인 결론을 내려버린 것입니다.

실제로 조선대학교 측은 54편이라는 방대한 양의 논문을 심사하는 데, 겨우 4개월 동안 6차례의 회의만을 가졌을 뿐입니다. 이렇게나 많은 수의 논문이 정말로 대필된 것인지 진실을 알고 싶었다면 조선대학교 측에서는 보다 성의 있는 조사를 해야 했습니다. 그러나 그들은 '관례'를 들먹이며 단 한 편의 논문만을 대필로 인정했습니다. 조 아무개 교수는 '3년 이내 교내연구비 신청 제한'이라는 가벼운 징계만을 받았습니다.

〈2화 : 이해하는 학생〉 편의 소개 글에서도 언급했듯, 논문 성과를 빼앗는 도둑질 행위가 근절되지 않으면 앞으로 더 많은 연구자가 자살이라는 극단적 선택을 하게 될지도 모릅니다. 그리고 앞으로도 한국 학문에 '미래'라는 단어는 존재할 수 없을 것입니다. 서정민 선생님의 이야기를 바탕으로 웹툰을 제작한 것은, 무소불위의 권력을 휘두르는 교수 아래에서 노예로 살아갈 수밖에 없는 이 땅의 시간강사들에 대해 알리고 싶어서입니다. 그리고 남의 논문을 도둑질하는 자들에게 빼앗긴 한국 학문의 '미래'를 되찾아오기 위해서입니다.

잘 먹겠습니다~

어제 아빠가 사오신
반찬이니까 감사히 먹어.
와~ 감사합니다!!

당신은 언제나 가족을 제일 먼저
생각하는 사람이었고,

하하 그래!
학교 안 늦게 잘 가고!

아빠는 아빠네 학교 다녀올게.

아이들에게도 한없이 따뜻한,
그런 남자였어요.

안녕히 다녀오세요~!!

이제와 말하지만 나는 당신의 그런 점이
언제나 자랑스러웠어요.

당신이 공부하는 사람이었기 때문에
수입은 넉넉하지 않았고,

그런 이유로 가끔은
당신에게 투정도 부렸던 것 같아요.

이 시간까지 안 자고 뭐 했어?
가계부 정리!
줄일 만큼 줄였다고 생각했는데 이번 달도 아슬아슬하네…

휴, 미안하다. 내가 더 노력해야 되는데…
아니야, 당신 노력하고 있는 거 잘 알아!

너무 가족 걱정만 하지 말고 들어가서 당신 할 일 해.

하지만 당신의 학자로서의 가능성과 열정, 그리고 노력을 믿고 있었기 때문에
미래를 의심해 본 적은 없었습니다.
곧 당신이 정규직 교수가 되면, 안정적인 삶을 살아갈 수 있을 거라고 믿고 있었는데….
그게 내 욕심이었나 봅니다.

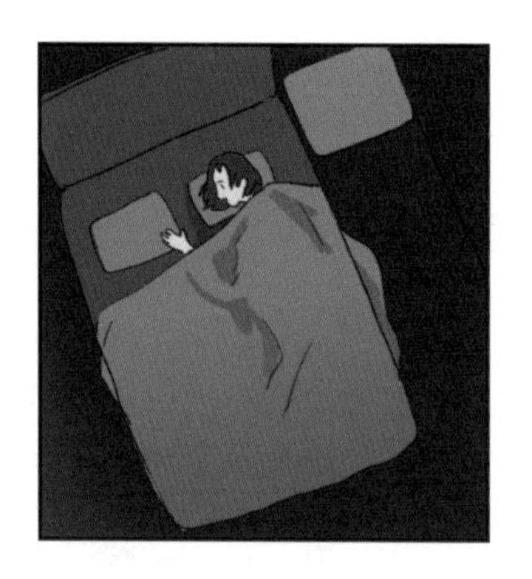

장례식이 끝나고 그렇게 정신없이
모든 일이 지나갔습니다.

때르릉~!
밥 차려줘야지
월요일이니까 빨리 나가는…

아.

더 이상 이 시간에…
일어날 필요가 없었지.

어쩌면 그 순간이 당신의 죽음을
실감했던 순간이었을지도 모르겠어요.
그제서야 당신이 쓴 유서를
어렵게 다시 꺼내볼 수 있었으니까요.

그리고
당신이 꼭꼭 숨겨놓았던
그 힘들었던 마음을,

말하지 못했던
그 고통이 얼마나 깊었던가를 알게 됐어요.

보고도 믿을 수 없는 내용이었습니다.

언제나 당당하던 당신이

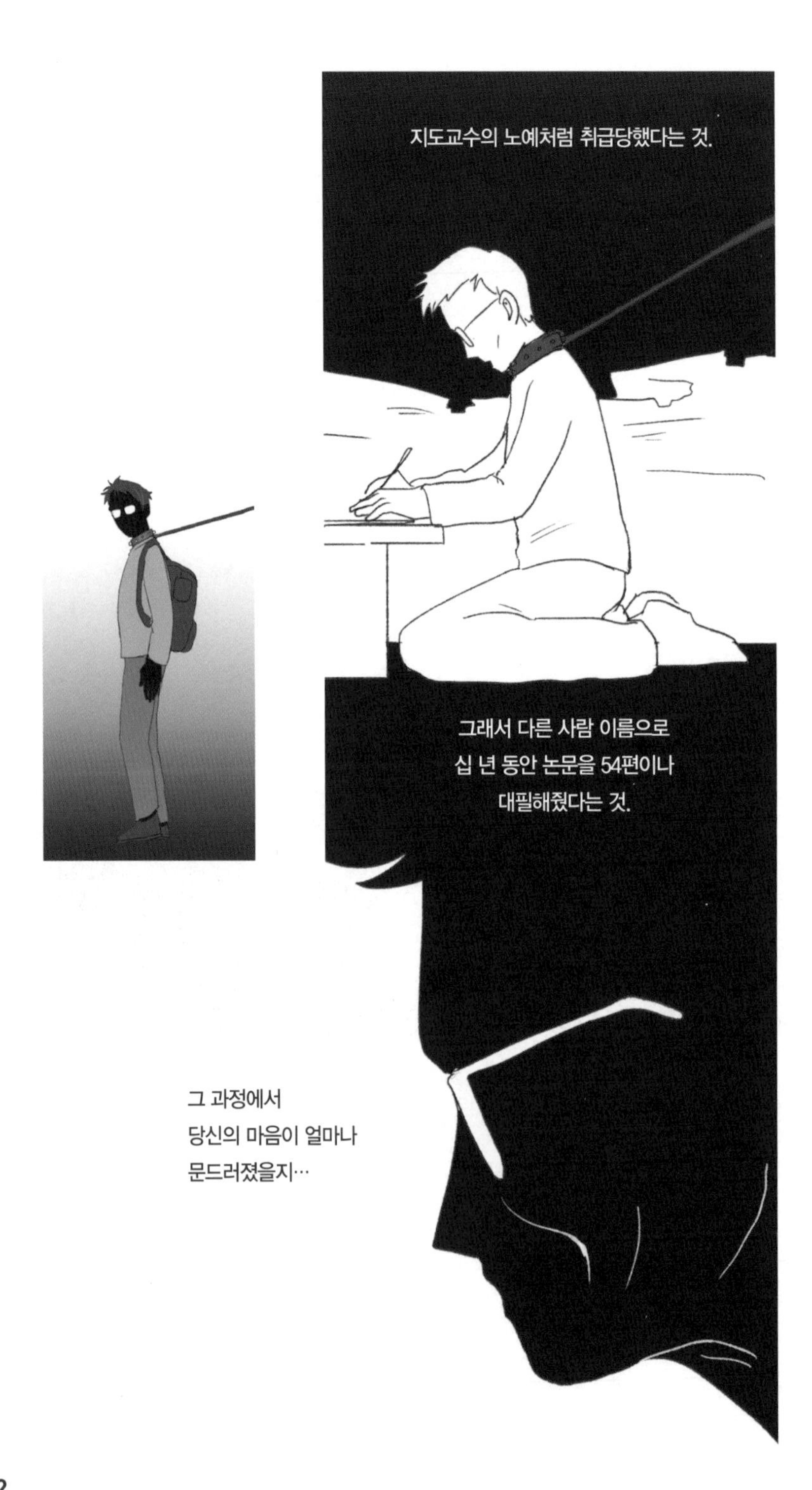
지도교수의 노예처럼 취급당했다는 것.
그래서 다른 사람 이름으로
십 년 동안 논문을 54편이나
대필해줬다는 것.
그 과정에서
당신의 마음이 얼마나
문드러졌을지…

생각해보면 당신은

마지막 몇 년간 너무나 힘들어했습니다.

어떻게 갑자기
이가 빠져?

위험한 거 아니야?

스트레스는
만병의 근원이라더니.
이빨이 빠질 줄은 몰랐네.
신기하다.
이거 치과 가면 다시 끼워주나?
하하하…
…괜찮아?
괜찮아…
다 괜찮아질 거야…
응…

그래 괜찮아질 거야…

괜찮아지겠지 생각했던 나에게
찢어질 만큼 속상함을 느끼고 있다.
눈치를 챘어야 했는데… 네가 목숨을
끊을 수도 있겠다는 생각…
했어야 했는데 … 미안해

당신이 공부를 열심히 하는 줄로만 알았지
그렇게 부당한 대우를 받으며
힘겹게 공부했다는 사실은 몰랐습니다.
몰랐다는 것이 너무 마음 아파서…
당신에게 그런 시련을 주었던 교수가 너무나 미워서…
당신이 그렇게밖에 할 수 없었던 그 상황이 너무 싫어서…
그리고 당신에게 아무런 도움이 되지 못한 내가…
아내로서 너무나…

미안해서…

그런데 당신의 유서에는 나에 대한 원망도 없고,
그저 미안하다는 말, 사랑한다는 말뿐이었습니다.
당신은 미안할 게 없는 사람이에요.
그건 누구보다 내가 잘 알고 있어요.

그런 사람을 그렇게나 큰 분노와
절망으로 몰고 간 사람이 누구인지,

그리고 나와 아이들을 남기고
끝내 스스로 목숨을 끊게 만든 절망이 무엇인지…

당신이 내게 남기고 간
메시지가 무엇인지 알기 위해서…
당신이 마지막으로 남긴 유서를 읽고 또 읽었습니다.

그리고 얼마 뒤…

저, K선생님 맞으시죠?
전에 연락드렸던…
네, 찾아오시느라
수고 많으셨어요.

끔찍한 현실을 이겨내려고 이미 예전부터 시간강사들의
문제에 관심을 가지고 싸워오셨던 분들을 만났고,
많은 도움을 받았습니다.

그러니까 선생님께서
이 논문을 다…

그분들이 없었다면 나는 당신이 없는 세상을…
너를 그렇게 만든 이 세상을
견뎌낼 수 없었을 거예요.

정말 심각하네요.
힘드시겠지만 유서대로
손해배상청구 소송을 냅시다.

일이 잘 풀릴까요?

일단 부딪혀 봐야죠.
절대 그냥 넘어가서는
안 됩니다.

논문대필
피해보상

고 S 열사 유가족 손해
재조사

우리는 당신의 유언을 따라
당신의 퇴직금과 당신을 괴롭힌 교수에 대해
피해보상 소송을 진행했어요.
그런데…

당신에게 양심적인 학자로서
참을 수 없는 수치심을 주었던 그 교수는
당신이 죽은 다음 해에 영예롭게 퇴임식을 했더군요.

당신이 젊은 시절을 바친 대학에서는
당신의 죽음에 대한 책임을 회피했어요.

대필, 이게 참…
그거 다 관행이라서
어쩔 수가 없어요.

이분만 유별난 게 아니고
누구나 다 거쳐가는
평범한 일이라서요.

아니, 엄연히 한 사람의
일을 빼앗아 가는 것을 관행이라는 말로
넘길 수 있다고 생각하십니까?

돌아가세요.

그리고 사회 정의를 수호한다는 법원에서는
가장 중요한 피해보상에 대한 부분을
기각하고 말았어요.

기각한

당신이 그렇게 힘들게 일했는데…
십 년 동안 당신의 모든 것을 바쳤는데…
요즘에는 어느 직장에서나 받는 4대 보험도 받지 못하면서
그렇게 10년 넘게, 12년을 넘게 일했는데…

그리고 새로운 사실도 알게 되었죠.
당신과 같은 고통을 받는
학자들이 이 사회에 그토록 많았고,
당신처럼 죽어간 시간강사들이
한두 사람이 아니라는 것을요.

그제야 당신이 유서에 쓴 말들이 이해가 갔어요.
아이들에게 장난으로라도 욕 한 번 한 적 없는 당신이
왜 스스로를 교수의 개라고 했는지,
교수의 노예라고 했는지,
왜 스스로를 그렇게 자책해야만 했는지.

그리고 당신이 왜
스스로 목숨을 끊어야만 했는지…

소송은 힘들게 이어졌고
이런 것이 세상인가 보다 했어요.
하지만 지독한 세상을 알아갈수록
당신의 죽음이 결코 헛된 것이 아니라는 걸
깨닫게 됐어요.

당신은 죽을 때까지도 학자였고
그 학자적 양심을 지키기 위해
어쩔 수 없이 죽음을 선택했던 것입니다.

그 교수가,
꼭
에게 미안하
만들거라

난 다짐했어요.
우리 아이들을 위해서라도,
당신을 괴롭힌 그 교수가, 당신을 이렇게 만든 세상이,
꼭 당신에게 미안하다고,
잘못은 네가 아니라 그들에게 있다고
사과하게 만들 거라고. 꼭 그렇게 할 거라고.

여보, 이제 곧 피해보상 소송에 대한 법원의 3차 판결이 나와요.
결과가 어찌 되었든, 그것이 세상의 방식일 테지요.
그렇지만 세상을 있는 그대로 받아들이는 것이
당신의 방식은 아니었습니다.

언제나 연구하고, 고민하고,
그렇게 세상이 더 나아지길 바랐던 것이 당신의 방식이었죠.
당신은 원래부터 그런 사람이니까.

이제 더 이상 우리에게 미안해하지 말아요.
이젠 알아요.
당신이 지키고자 한 양심이 무엇인지를,
당신이 우리에게 남기고 간 것이 무엇인지를….

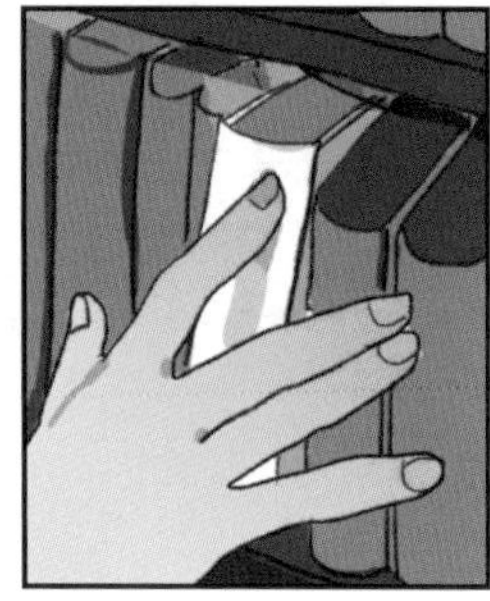

나도 이제 당신에게
더 이상 미안해하지 않을게요.
이제는 오히려 고맙다는 마음만
느껴지는걸요.

나는 이제 당신에게 더 이상 미안하다고
말하지 않겠어요.
대신에 고맙다고 말하겠어요.

세상에는
아직 돈으로 살 수 없는 배움이 존재한다는 것,
위선으로 짓밟을 수 없는 가치가 존재한다는 것.
너무나 중요한 그 마음을 알게 해줬잖아요.

사랑해요, 여보.
그리고 우리에게 끝까지 자랑스러운 사람으로 남아줘서
너무나 고마워요.

시간 강사 S에 대한 피해보상 소송의 1, 2차 판결에서
사건을 무마하려는 학교 측 조사위원회의 왜곡된 보고서가 증거로 채택되었다.
S의 유서는 증거로 채택되지 못한 채 무시당했다.
S의 부인과 가족들은 지금도 싸움을 계속하고 있다.

FIN

제 7 화

졸업했는데 왜?

⁝ 위장취업을 거부한 대가 ⁝

교육부의 재정지원사업 중 하나인 'BK(두뇌한국)21 플러스 사업'은 대학원 육성과 우수 연구를 지원한다는 사업입니다. 그러나 'BK21 플러스 사업'의 선정 기준이 논문 편수, 연구비, 졸업생 취업률 등 양적 지표에 의존하는 경향이 있어 논란이 많았습니다. 대학은 평가 지표를 맞추는 데 급급하여 논문의 질적 수준보다는 많은 논문을 '생산'하는 데 집중해왔고, 대학원 졸업생을 위장 취업시키는 등 취업률을 조작한 사실이 적발되기도 했습니다.

교육부는 2015년부터 평가 분야를 9개로 세분화하고 공학 분야에서는 논문 수 지표를 삭제하겠다는 사업 개선 계획을 발표했지만, 여전히 양적 지표가 중요한 선정 기준이기 때문에 근본적인 개선이 되지 못하고 있습니다. 현재의 글로벌 교육환경과 첨단 교육수준을 반영하지 못하는 교육부의 일괄적인 사업 방식은 많은 한계를 지니고 있습니다.

이 문제는 교육부의 지원사업 방식에서 그치지 않습니다. 다음은 〈동아일보〉 2016년 3월 28일 자에 보도된 "이공계 늘리라면서 인문역량도 요구… 어느 장단 맞추나!" 기사의 일부분입니다. 이 기사에서는 정부의 지원사업과 관련하여 대학의 구조를 비판하고 있습니다.

> "대학이 이처럼 교육부의 재정지원사업에 불만을 갖고 있으면서도 목숨을 걸다시피 매달릴 수밖에 없는 구조도 문제다. 기부금을 모아 적립금을 쌓고, 이를 운용해 재정의 상당 부분을 충당하는 외국 대학과 달리 한국 대학은 등록금과 정부의 재정 지원에 대한 의존도가 절대적이다. 2009년 이후 정부가 등록금의 동결 또는 인하를 압박해온 상황에서 대학들이 교육부의 지원금에 절박하게 매달리는 이유다."

특히 한국 대학의 경우 재단이 기부금과 적립금을 쌓아두기만 하고 운용하지 않는 비리가 비일비재하고, 따라서 등록금과 정부의 재정 지원에 대한 의존도가 절대적입니다.

이처럼 교육부의 시대착오적인 사업 방식과 대학의 잘못된 재정 운용 방식은 한국 대학의 발전을 가로막고 있을 뿐 아니라, 학문 연구에 집중해야 하는 대학원생들을 사업 선정 지표를 맞추는 수단으로써 전락시키고 있습니다.

이번에 보실 웹툰은 양적 성과주의로 인해 취업률을 높이기 위한 '위장취업 강요'가 얼마나 빈번하게 일어나고 있는지를 보여줍니다. 교수가 강요하는 위장취업을 거부할 경우 그들이 어떤 방식으로 권력을 휘두르는지도 알 수 있을 것입니다. 졸업한 뒤에도 부당한 일에 동참하도록 강요받고, 동참을 거부했다는 이유로 교수의 협박에 시달리다 결국 파문당한 한 대학원생의 사연은 학문 연구자가 지녀야 하는 최소한의 윤리마저 실종된 한국 연구 사회의 저열한 한 단면을 보여줍니다.

토목환경공학 연구실에서 보낸 3년은
나의 인생에서 가장 값진 시간이었다.

졸업 사진 속의 나는 활짝 웃고 있었고
무척 행복해 보였다.
분명히 나는 이 연구실의 자랑스러운
졸업생이었다.

다른 대학원생들처럼
나의 대학원 시절도
눈코 뜰 새 없이 바빴다.

하지만
내가 좋아하는 공부였고,

끼익.

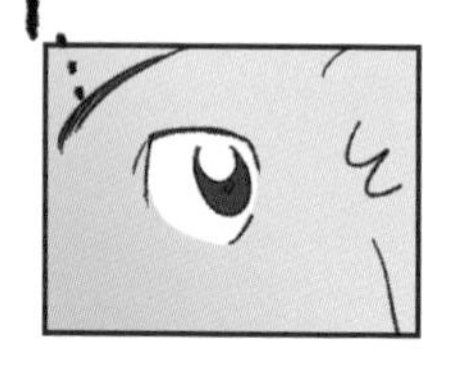

감사하게도 좋은 분들과 함께
연구실 생활을 할 수 있었기에
힘들었지만 견딜만 했던 것 같다.

무엇보다도,
지도교수님이 참 좋았다.

교수님, 안녕하세요!!
너희 뭐 이렇게 일찍 왔어? 또 밤새웠니?

아, 예, 뭐…
고생한다 참. 자, 커피 마시면서 해! 오다 사왔어.

너도 커피!
감사합니다. 교수님!!

모르는 거 있으면 물어보고!
네!!

다른 친구들은 지도교수님이나
동기, 선배들과의 갈등이
연구를 하고 공부를 하는 일보다 더 힘들다고 했다.

이번엔 뭔 일이야?
으아악~~~!!
정말 어떻게 교수가 돼서 그럴 수가 있어!!!

새벽 두 시에 전화해서는 나와서 술을 먹자고 하는 거야. 자기 적적하다고!!
뭐라고????

아니 내 인생이 자기 건가? 커피심부름을 몇 달째 시키질 않나, 난데없이 나오라고 해서는 자기 책꽂이 정리를 시키지 않나, 나는 내 시간이 없니? 거기다 뭐? 술을 같이 먹자고?

어떡하냐

조금이라도 자기 말 안 들으면 일주일은 화내는데 그럴 거면 들을 수 있을 만한 말을 하던가??? 참나 내가 진짜 어이가 없어서……

따라서 폐기물 매립장을 건설하는 데 적절한 시멘트와 콘크리트 개발을 위해서는…
…이상입니다.

짝짝
짝짝…

수고 많았다. 아까 코멘트했던 부분만 보완하면 될 것 같아.

나는 3년 동안 단 한 번도
지도교수님과 갈등을 겪지 않았다.

다들 잘 봤지?
이 친구가 우리 연구실의
에이스라니까!
하하하
팡
팡

뿐만 아니라 교수님과 나는
누가 봐도 각별한 사제지간이었다.

지도교수님은 40대 초반의
젊고 누구보다 열정적이고
합리적인 분이셨다.

학부 4학년 때 따로 교수님께
상담하러 갔을 때
나는 확신했다.

이런 분 밑에서 연구 생활을 한다면
많은 것을 배울 수 있겠다.
그리고 그 연구실 사람들도 다
교수님을 칭찬하니
분명 좋은 분이시겠지.

그렇게 나는 학기말부터 바로
교수님의 연구실에서
인턴 생활을 시작했다.

1년 간의 인턴 생활이 끝난 뒤 나는
정식으로 대학원 석사 과정에 입학했고
2년 간의 석사 생활도 무사히 마쳤다.

우리 학과는 BK21(Brain Korea 21) 플러스*에
선정된 학과였다.

* 세계적 수준의 대학원 육성과
우수한 연구인력 양성을 위해 석 · 박사과정생 및
신진연구인력(박사후 연구원 및 계약교수)을
집중적으로 지원하는 고등교육 인력양성 사업이다.

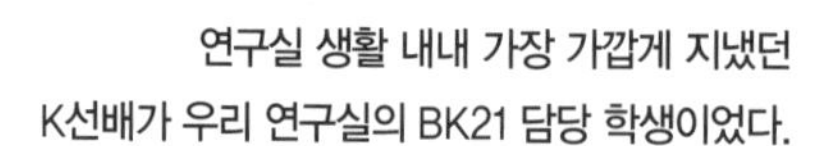

연구실 생활 내내 가장 가깝게 지냈던
K선배가 우리 연구실의 BK21 담당 학생이었다.

내가 졸업을 한 다음 학기에 BK21평가가 있었고,
문제의 사건이 시작된 것은 이때부터였다.

딸깍

BK21 평가 요소에는
논문 게재 실적, 학술대회 발표 실적,
특허 등록 실적, 졸업생 취직률 등
여러 가지가 있다.

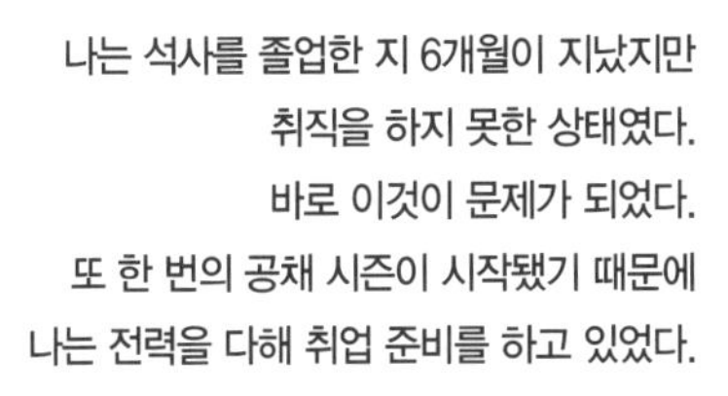

나는 석사를 졸업한 지 6개월이 지났지만
취직을 하지 못한 상태였다.
바로 이것이 문제가 되었다.
또 한 번의 공채 시즌이 시작됐기 때문에
나는 전력을 다해 취업 준비를 하고 있었다.

털썩

내일 7시 반에 면접 갔다가
점심 먹고 책 사고 저녁에는
이력서 수정해서 제출하고…

따르르릉…!

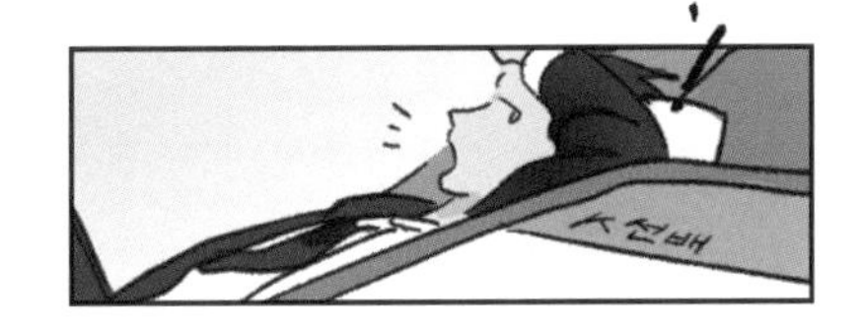
K선배

그때 지도교수가 K선배를 통해
내게 연락을 해왔다.

네엡, 여보세요.

어, 오랜만이다. 나 K인데,
연구실에서 일이 좀 있어서
연락했어. 그게…

네???
위장취업이요?

그게 참…
평가기준 빡센 거 너도 알지?
이번에 좀 아슬아슬해서…
교수님이 너한테 연락해 보라네.

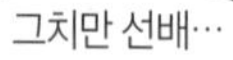
그치만 선배…

제가 지금
완전 노는 것도 아닌데
이중취업으로 되면…

그렇구나… 근데 잠깐만이라도 안 될까?

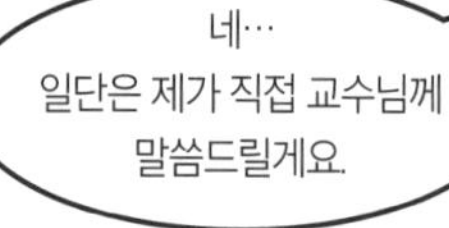
네…
일단은 제가 직접 교수님께
말씀드릴게요.

교수님 안녕하세요.
K 선배에게 제가 XX연구소에서
한 달 동안 취업해 있어야 한다는 이야기를 들었습니다.
그런데 교수님, 정말 죄송하지만 제가 계속 구직 활동을 하는 중이라
그렇게 하기는 어려울 것 같습니다.

이번 달이 공채 시즌이라 공채 서류도 접수 중이고,
혹시라도 제가 가고 싶은 기업에 합격했을 경우
이중취업이 되어 합격이 취소되거나 취직이 꼬일 위험이 있어서입니다.
도움이 되지 못해 정말 죄송합니다.
자리 잡고 나면 교수님 찾아뵙고 인사드리도록 하겠습니다.

이 정도면 충분히 알아주시겠지?

띠리링~!

메일이 도착했습니다. 07:50

한 달 취업은 아니고
평가를 받는 시점에만
연구원으로 취직한 상태에
있도록 하는 거야.
바로 이름은 뺄 거고.
졸업생 취업률이
BK21에서 차지하는 배점이 커서
현재 모든 졸업생 가운데
미취업자를 대상으로 전체 연구실에서
똑같은 조치를 취하고 있다.
협조 부탁한다.

**협조를 부탁한다고 했지만,
교수님은 반강제적인 태도를
취하고 계셨다.**

아니, 지금 넣어둔 공채가 몇 갠데 어떻게 하라는 거야?

그걸 떠나서 애초에 위장취업이란 건 하면 안 되는 거잖아??

이크, 면접 늦겠다!!

띠링...

메일이 도착했습니다

X일에 취직이 되어 있기만 하는 거니까
네가 취직하는 데 지장이 없게 할 테니 걱정 마라.
어디서 오늘 합격 통지를 받은 것도 아니잖아?
그럼 2주 내에 다른 회사랑 겹칠 일은 없을 거다.
조심스러운 것도 이해는 가지만
지금 네 상황만 생각할 수 있는 상황이 아니야.
취업률 하나로 당락이 결정되는 상황인 것도
이해해줬으면 좋겠구나.

나는 난감했지만 교수님이 말이
안 통하는 분도 아니고,
곧 이해하고 넘어가 주시겠지,
라고 생각했다.

틱
틱
틱

교수님, 제가 취업에 손을 놓고 있는 것도 아니고
계속 구직 활동을 해왔기 때문에
곧 합격 통지를 받을 수도 있는 상황입니다.
그래서 어려울 것 같다고
말씀을 드린 것이니 이해해주세요.

헉, 교수님인가?
지잉
지잉

뭐라고 설명드려야 하지?
화내실까? 어쩔까?
마음의
준비가…

ㄴ후ㅂ

아, 뭐야. 후배잖아. 휴…
여보세요?

형, 오랜만이다.
요새 별일 없어?

어, 오랜만.
딱히 뭐는 없는데… 왜?

그게… 교수님이…

아~ 진짜
골때리게 하네.

능력이 안 되니까 백수인 거 아냐.
걔는 좋든 싫든 무조건
위장취업을 해야 돼.

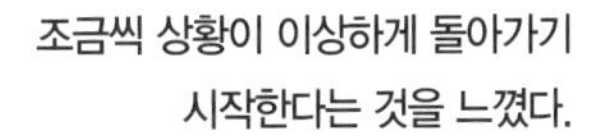
조금씩 상황이 이상하게 돌아가기
시작한다는 것을 느꼈다.

정말로 교수님이 그런 말 하셨어?
형 진짜로 그거 말고는 다른 거 잘못한 일 없어? 교수님 거의 무슨… 다른 사람 같아.

형 걱정돼서 연락해 봤어. 난 계속 응원할게, 알았지?
그렇구나…

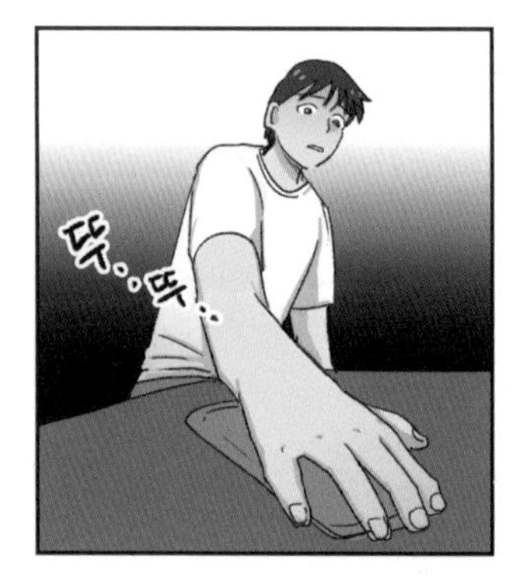
뚝..뚝..

학과 교수들이 국가 예산을 타기 위해 작당하여
위장취업으로 취업률을 올리려는 행태부터
말이 안 된다고 생각했는데,
이런 형태가 그동안
공공연하게 반복되어왔다는 말인가?

그것을 위해 졸업생을 동원하고
반강제적으로 협박하고…
졸업까지 한 마당에 이런 협박을 받아야 한다니
납득할 수 없는 일이었다.

합격자 명단에

없습니다

ㅇㅇ기업 신입 채용에 지원해주셔서
진심으로 감사합니다. 아쉽지만 제한된 모집 인원으로

이번이 대체 몇 번째냐.

대체 뭐가 문제지?
이번에는 거의 끝까지 갔는데.

이번에는
정말 잘했다고 생각했는데.
요즘 정말
취업이 어렵다더니…
띠리리리링…
따르르르릉…

따르르릉…
이번엔 또 뭐야…
따르르릉…
따르르르릉…
스피커폰
녹음하기
따르르릉…
정말
만약을 대비해서
녹음하기
꾸욱
진짜 혹시 모르니까…

……
여보세요.

오랜만이다.
이런 일로 연락해서 미안한데…

이번 위장취업에 협조하지 않으면 앞으로 이쪽 업계에 취직할 수 없도록 하시겠대. 학과장하고도 이야기 마치셨고.
이건 학과 차원에서 주는 불이익이니 그런 줄 알라고. 그러니까 웬만하면 너도 그냥 협조해라.

털썩!

대체 왜 이렇게까지 하는 건데?

처음에는 믿기지 않았다.
스승이었던 사람이 제자에게
이렇게까지 할 수가 있는 것인지.

그래도
옳지 않은 일은 옳지 않은 일이다.

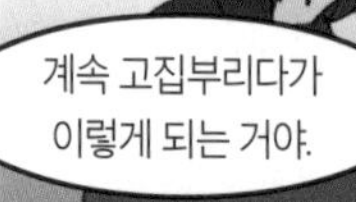
계속 고집부리다가 이렇게 되는 거야.
학교 와서 직접 교수님 뵈면 달라질지도 모르는데.

그냥 교수님께서 직접 메일로 이야기해 주실 수는 없어요?

그건 아무래도 힘들 것 같아.
통화중 ...
K선배

치졸하고 졸렬했다.
K선배를 통해 얘기하는 것도
증거를 남기지 않게 하기 위해서겠지.

나도 참 마음이 안 좋다.
그렇게나 널 아끼셨던 교수님이 이젠 네 이름도 못 꺼내게 하셔.
한 번만 학교로 와줄 수는 없을까?
공채 일정이 바빠서 안 될 것 같습니다.

그렇게 나는 파문당했다.

대학원
000 연구실
동문 소개

연구실 홈페이지의 학생, 동문 코너에 실려 있던
나의 사진과 프로필은 흔적도 없이 사라졌다.

3년간 동고동락하며
나의 전부를 쏟아부었던 연구실인데.

공채 준비를 미룰 수가 없었기에,
교수의 협박에 제대로 된 대응을 하거나
이런 불합리한 상황을 폭로하지는 못했다.
혼자 우는 것 말고는 할 수 있는 일이 없었다.
밤마다 악몽에도 시달렸다.

나는 아직도
취직을 하지 못했다.

형! 나 이번에 ㅁㅁ센터로 간다! 응원해줘서 고마워,
그래? 축하한다
밥이나 한번 먹자! 기운이 있어야 취준도 하고 그러지!!

교수가 정말로 손을 쓴 것일까?
그건 알 수 없다.
그리고 내가 취직 못 하는 개인적인 문제를
교수나 학과 탓으로 돌리고 싶은 마음은 전혀 없다.
다만, 졸업하고 나서도 교수에게
이런 부당한 일을 요구받았다는 사실과
학과 차원에서의 뻔뻔스러운 행위에 대해서는 화가 난다.

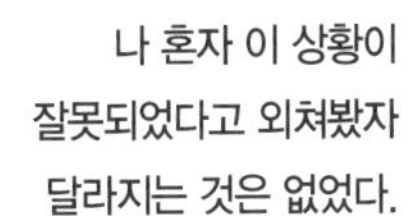

나 혼자 이 상황이
잘못되었다고 외쳐봤자
달라지는 것은 없었다.

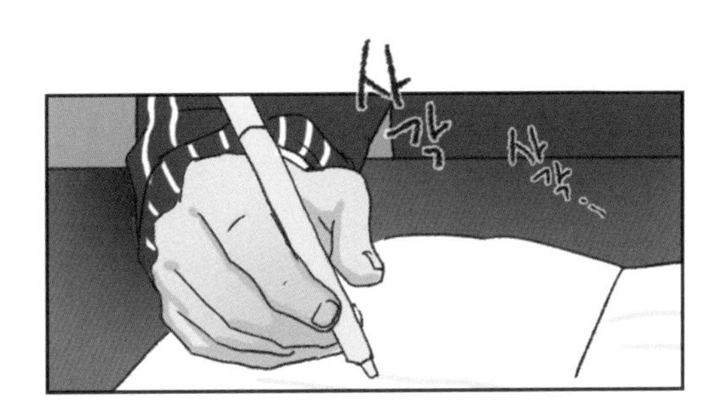
사각
사각…

하지만 아닌 것은 아닌 것이었다.
아닌 것이 괜찮은 것이 될 수는 없었다.

비록 '아니다!'라고 외치는 사람이
나 혼자였지만 말이다.

제 8 화

인간적 대우

⁝ 조교는 교직원의 하수인일까 ⁝

대학생원생들은 학내의 조교자리에 관심이 많습니다. 조교 장학금으로 학비 부담을 줄이기 위해서지요. 그러나 힘들게 구한 조교자리가 생각 이상으로 힘이 드는 경우가 있습니다. 조교 근무를 하는 연구실이나 사무실의 상황에 따라 다르기는 하지만, 보통 자신이 소속된 학과의 조교자리가 가장 할 만하고, 교내의 여러 행정 부서 조교 자리는 상대적으로 힘든 편입니다. 왜일까요? 업무적으로 상대해야 하는 대상이 '교직원'이기 때문입니다.

지휘 계통이 존재하는 모든 공간이 그러하듯, 교내의 행정 부서에도 위계관계는 존재합니다. 그리고 위계관계가 존재하는 곳에서는 늘 '부당한 대우'가 있게 마련이지요. 그런데 이런 경우, 대학원생들을 보호할 수 있는 뚜렷한 대책이 없다는 점이 문제일 것입니다.

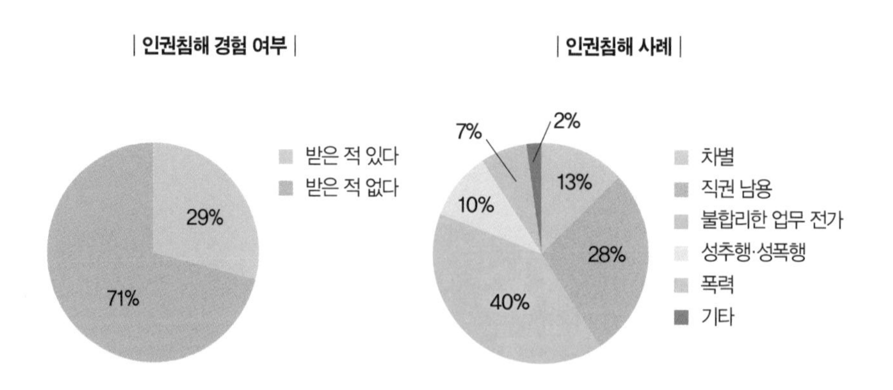

| 인권침해 경험 여부 |
받은 적 있다
받은 적 없다
29%
71%
| 인권침해 사례 |
7%
2%
13%
10%
28%
40%
차별
직권 남용
불합리한 업무 전가
성추행·성폭행
폭력
기타

[고려대학교 일반대학원 총학생회, 〈조교근무환경 실태조사 보고서〉, 2015]

고려대학교 일반대학원 총학생회가 지난 2015년 9월에 발표한 「조교근무환경 실태조사 보고서」에 따르면, 설문에 응한 대학원생 159명 중 29%에 해당하는 46명이 조교 근무를 하던 중에 인권침해를 받은 경험이 있다고 답했습니다. 이들이 받은 인권침해의 사례는 차별, 직권남용, 불합리한 업무 전가, 성추행·성폭행, 폭력 등 다양했습니다. 하지만 조교 근무를 하다가 인권침해를 받은 대학원생의 대부분이 문제제기를 하지 않았다고 대답합니다.

대학원생 문제가 자주 그러하듯, 조교 근무에서 겪은 불합리한 일들을 폭로하는 것이 미래의 불이익으로 이어질 것이라는 심리적 압박감 때문에 제대로 된 문제제기가 이루어질 수 없었던 것입니다.

이번에 소개할 웹툰은 조교 근무를 하면서 권위적인 교직원과 교수에 의해 각종 부당대우를 당한 어느 대학원생의 이야기를 담고 있습니다.

선배, 저 진짜 잘한 결정 맞겠죠?
그래, 생각보다 할만 해! 대학원.
과 교수님들 이상한 분들 아니라는 거… 직접 만나봐서 알잖아?
그건 그렇죠.

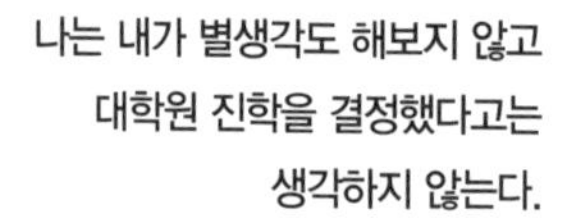

나는 내가 별생각도 해보지 않고
대학원 진학을 결정했다고는
생각하지 않는다.

출력
딸깍

사 직 서
사유: 대학원 진학

결국 가기로
결정했구나.

네…

전에도 말했지만,
우리 회사보다 힘들 수도 있어!

예, 그래서 최대한
많이 알아보고 결정했습니다.

배수진을 치고 하는 공부인 만큼 나는 더 신중했다.
그러니 공부 외에 겪어야 하는 힘든 일은 거의 없으리라.
하지만 현실은 내 생각보다 훨씬 녹록지 않았다.

어떻게 비싸도
이렇게 비싸냐.
8,350
4,800,000
등록금
빨리 면접 봤으면
좋겠다…

11
12
13
조교면접

201X년
OOO학과
조교 면접실

안녕하세요!!

어~ 인사 한번
깍듯하게 잘하네.
저 정도는 해야지.

뭔가 이상하다는 느낌은
이때부터 들었다.

학생. 이 바닥은 말이야,
위아래가 중요해.

내가 최고 상사니까
절대 까먹지 말고.
다른 조교들도
상사 모시듯이 대하고.

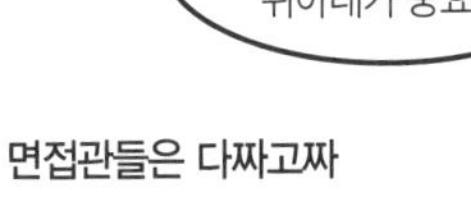

면접관들은 다짜고짜
위계부터 정리했다.

윗사람이 말하는 거에
토 달지 말고 경청하고.
또…

그들은 내가 업무를 잘할 수 있는 사람인지를
'심사'할 생각은 전혀 없어 보였다.
얼굴 한 번 본 적 없는 지원자에게
저렇게 편히 이야기해도 되나 싶었다.

아 그래도
명색이 면접인데
뭐 물어보긴
해야지.
여자친구는 있나?
하하하…

거들먹거리며 말하던
그들에 대한 기억은
아직도 불쾌한 기억으로 남아 있다.

조교 근무를 하면서
최악이라고 느꼈던 것은
교직원의 행동이었다.

교수님과 선배들은 나에게 잘 대해주셨고,
공부도 곧잘 맞는 것 같아 흡족했지만,
조교 장학금을 받으려고 시작한 일에서
이렇게 모욕적인 대우를 받으리라고는 생각하지 못했다.

일단
퇴근 시간부터가
문제가 되었다.

근무 시간표
김00

일주일에 25시간을 약속하고 시작한 일이었는데
이런 기본적인 사항조차 지켜지지 않았다.

일이 많아서 추가 근무를
해야 하는 거라면 이해할 수 있다.
나도 사회생활을 해봤고,
일이라는 게 정해진 시간에 딱 맞춰
끝나지 않을 수도 있는 거니까.

그러나
그런 날들이 너무 잦았다.

어이, 이번 일요일에
학부 시험치는 거 말이야.

특히
시험기간에는 더욱…

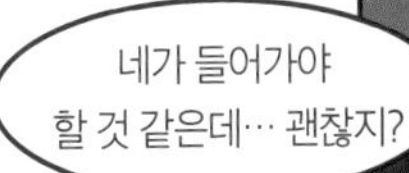
네가 들어가야
할 것 같은데… 괜찮지?

네???

에이, 저녁식사랑
휴가로 쳐서 빼줄게~
시간 계산해서 얘기해 봐.
일요일에 뭐
할 일도 없을 텐데.

내가 니 봉이냐????

…라는 말이 입가를 맴돌았다.

우리는 일요일에 시험을 치르는
요상한 교수의 성희롱성 발언까지도
받아줘야 했다.

인제야 들어오냐?

점심시간 한참 지났는데
뭐 한다고 아직도 돌아다녀?

그렇게 맨날
디저트 매달고 사니까
살찌는 거잖아.
여자가 살찌면
흉한 거 몰라?
옆에 너도 잘한 거 없다.
입술이 그게 뭐야?
이번 여자 조교들은
참한 맛이 없어.

그 교수는 심지어 자기가 잘못된 발언을
하고 있다는 사실조차 모르는 듯
태연하게 이런 말들을 내뱉었다.
자신이 절대적으로 옳다는 식의 그런 사람.

따리리링...

언젠가 그가 우리 사무실로
전화를 걸어온 일이 있었다.

네에~ 여보세여~
ㅇㅇㅇ학과 사무실입니다아~
…너 누구냐?
전화예절을 어디서
그딴 식으로 배웠어??
말투가 그게 뭐야??
일이 아주 우습냐?
돈 받고 하는 일이면
제대로 할 것이지.
아..저..제가
똑바로
말 안 할래?
죄송합니다.
네…네.
죄송합니다.
앞으로는 절대
이런 일 없도록…
진작에 잘할 것이지!
안 찾아간 거
감사한 줄 알아!
뚝..

하하… 소문으로만 들었는데
당하니까 진짜 무섭네.

그녀는 그에 대해
더 말하기를 아꼈지만,

당사자가 아닌 내 쪽에서
오히려 눈물이 치밀었다.
정말로 분했다.

일이 많아 추가 근무를 해야 하는
경우가 있다는 것도 나를 짓눌러댔지만,
어처구니없는 이유로 퇴근을 하지 못하는 경우도 있었다.

교직원의 심기가 불편하다는 것.
그것이 이유였다.

'최고 상사'이신
교직원님의 심기가 불편하다는 이유로

나와 함께 일하던 조교들은 모두
눈치를 보느라 감히 퇴근할 수 없었다.
아니, 눈치 때문이 아니다.

저, 정말 죄송한데요…

제가 오늘은 정말 중요한 약속이 있어서 이만 먼저…

뭐? 너만 약속 있냐? 자기 일 아니라고 막 빠져나가고 그러지?
너 인생 계속 그렇게 살아라.
요즘 애들 버릇이 없다더니 너네도 마찬가지야.
아주 자기 일만 중요하지?

나가. 나가서 그렇게 살어

퇴근을 하려고 하면
심술궂은 말장난과
비아냥거리기를 서슴지 않았다.

여자 조교들에게는 더 막 대했다.
마음에 들지 않는다면서
문을 잠그고 소리를 지르며
화를 내는 경우가 적지 않았다.

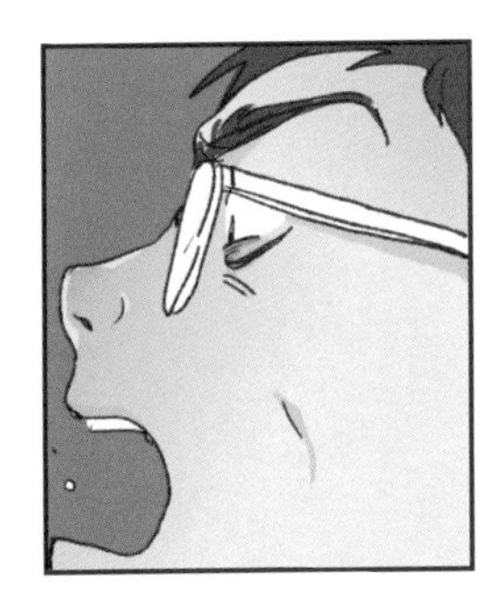

일에 관한 측면에서라도
그 교직원이 뛰어난 재원이었다면,
기분은 덜 나빴을지도 모른다.

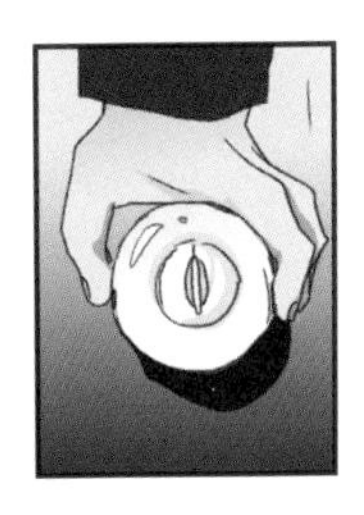

저, 인쇄 다
해왔는데요.

어, 장수 제대로 확인했지?

아이고, 일이 줄지를 않는구만
언제 다 끝내냐.
에휴
인터넷 쇼핑
할 시간에요!

든든한 상사이기는커녕 일도 하지 않으면서
폭언이나 일삼는 그런 쓰레기 상사였다.

내가 바란 것은 대단한 게 아니다.
내가 바랐던 것은 다만
근로조건 이행과
인간적인 대우였을 뿐이다.

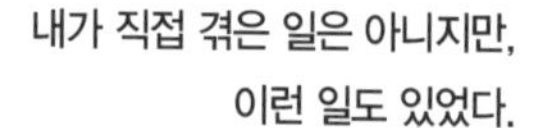

내가 직접 겪은 일은 아니지만,
이런 일도 있었다.

중국인 대학원생 조교가 한 명 있었는데,
그녀가 해외학술대회에 투고한 논문이
통과되는 일이 있었다.

그녀는 정중하게 해당 학술대회에
다녀와야 할 것 같다고 사정을 말했다.
다른 날로 근무시간을 채울 테니
제발 보내달라고 부탁했다.

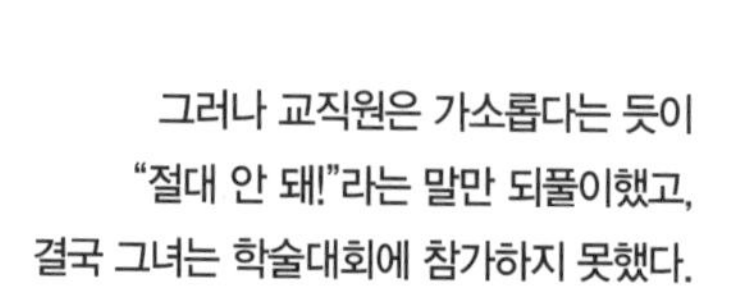

그러나 교직원은 가소롭다는 듯이
"절대 안 돼!"라는 말만 되풀이했고,
결국 그녀는 학술대회에 참가하지 못했다.

만약 이 모든 문제가
단 한 명의 교직원으로 인해
발생한 문제일 뿐이라면
그 사람의 문제라고 치부할 수도
있었을 것이다.

그러나 그 교직원의 상관인
'팀장' 또한 그와 뜻을 함께했다.

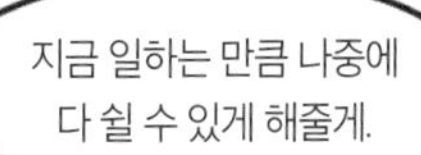
지금 일하는 만큼 나중에
다 쉴 수 있게 해줄게.

일단은 좀 참고… 응?
다 잘 챙겨주라고 할 테니까…

바뀌는 건 없었다.

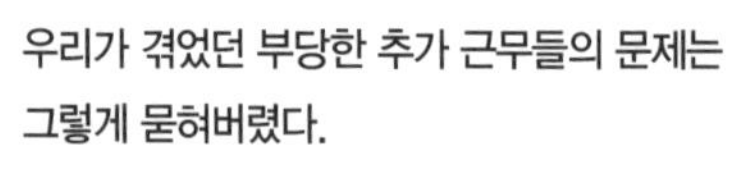

우리가 겪었던 부당한 추가 근무들의 문제는
그렇게 묻혀버렸다.
언젠가 그 교직원은 이렇게 말한 적이 있었다.

너네 요새 일하는 거 힘들다 뭐라 하는데…
그래도 너희들은 어떤 정신나간 대학원생 덕분에 편해진 거야.

원래는 일주일에 25시간이라는 근로규정도 없었어. 그 대학원생이 여기저기 들쑤신 덕분에 생긴 거지.

너네는 진짜 편한 거야~ 내가 얼마나 잘해주는데!

그 더러운 공간으로부터 빠져나온 지금에도,
그때의 이야기와, 그의 이죽거리던 모습을
떠올리면 가끔 화가 치민다.

그러나 대학원생에게는 힘이 없다.
딱히 내 편인 사람이 있는 것도 아니며,
있다고 해도 같이 싸워줄 생각이 없다.
물론 싸울 생각은 내게도 없다.

그러느니 참고 공부하는 편이
더 나으리라 생각하니까.

나 다음 타자로
그 사무실에 들어가게 된 사람은 누구일까.

그가 참 안쓰럽다.

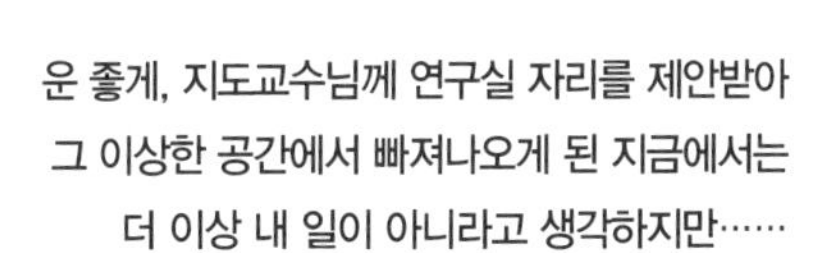

운 좋게, 지도교수님께 연구실 자리를 제안받아
그 이상한 공간에서 빠져나오게 된 지금에서는
더 이상 내 일이 아니라고 생각하지만……

나를 대신하고 있을 그는,
온갖 추가 근무와 낯 뜨거운 욕설과 비아냥거림으로
인격적 모욕을 느끼고 있을 것이다.

그가 벗어날 방법은,

내가 그랬듯이 다른 곳을 찾아 떠나는 것뿐이다.
더 나은 곳으로,
아무도 나를 괴롭히지 않는 곳으로…….
그 방법밖에는 없을 것이다.

"대학원생은 교육 및 연구 조교로의 활동에 관한 근로내용, 근로시간, 장학금의 액수 등을 근로기준법에 의해 보장받아야 한다."

- 고려대학교 대학원생 권리장전 제7조 3항 -

FIN

제 9 화

금고 관리자

: 교수의 주머니를 배불리는 눈 먼 돈 :

용산□□□PC
계 2,370,00

우리 사회의 그늘진 곳에서나 일어날 법한 '보조금 관련 비리', 이는 학문의 장場 대학원에서도 비일비재하게 일어나는 일입니다. 특히 이공계 연구실에서 근무하는 대학원생들은 입학과 동시에 대포통장을 하나 개설하도록 하는데, 그것이 교수 밑으로 들어가 언제 어떻게 사용되는지 모르는 경우가 종종 있다고 합니다.

학업과 근로를 병행하며 누구보다 치열한 하루를 보내는 조교의 업무수당이 제대로 입금되지 않고 교수의 용돈으로 부당하게 사용되는 것입니다. 어둠의 경로를 통하여 일어나는 눈먼 돈의 흔적을 연구실 바깥 사람들은 추적할 수 없습니다. 오직 '비리의 영수증'을 눈앞에서 처리하는 사람만이 알 수 있는 것입니다.

대학원 내의 연구비 횡령은 비단 대학원만의 문제는 아닌 듯 보입니다. 일반 회사나 여타 공공기관에서도 아무렇지 않게 관행처럼 일어나는 일인 것입니다. 그렇다고 해서 대학원 내에서 발생하는 여러 비리들에 대하여, 여태 그래 왔던 것처럼 계속 눈을 감아버린다면, '교수의 횡령'은 당연

A : 내가 다녔던 학교 실험실은 90%가 이런 식이었다. 고물컴퓨터 그대로 쓰면서 매년, 매학기 새 컴퓨터 맞췄다고 학교 예산을 타고, 학교에서 재물을 확인하는 스티커는 컴퓨터 껍데기만 사다가 붙여놓았다.

B : 하지도 않은 회식을 하고, 프로젝트 따오면 50%는 교수가 먹고, 나머지는 대학원생 월급 100만원 준다. 프로젝트 만들어서 납품하면 나머지도 꿀꺽한다.

C : 이런 환경에서 그나마 학생들이 버티는 이유는 교수 연줄로 취업할까 싶어서.

[카페S 〈'슬픈 대학원생들의 초상' 제11화 : 금고 관리자〉 댓글 부분 발췌.]

스레 굳어져 버릴 것입니다. 우리는 모두가 암묵적으로 쉬쉬하고 눈감아 버리는 학내 연구비 횡령을 고발하고자 합니다. 실제로 이번 웹툰을 보신 많은 분이 공감의 글을 남겨주시기도 했습니다.

학업에 대한 꿈을 안고 상아탑 아래로 들어온 학생들이, 교수의 영수증을 처리하며 가장 먼저 느끼는 것은 현실과 이상의 괴리입니다. 연구자, 학생이라는 이유로 노동에 대한 대가도 정당하게 받아가지 못하고, 마치 노예처럼 교수의 그늘을 맴돌며 학업을 연장해나가야 한다는 사실이 너무나 답답합니다.

대학원생은 '연구 노동자'입니다. '연구 노동자'는 본인이 참여하는 연구과제의 예산, 지출 등 재정운용상황 및 인건비 지급 전반에 대하여 알 권리가 있습니다. 또한, 대학원생은 대학에 제공한 근로에 대해 근무시간, 근무내용, 근로소득 및 장학금 등을 근로기준법에 의거하여 보장받아야 함이 마땅합니다.

이번 웹툰을 통해 여태껏 당연시 여겨졌던 학내 연구비 횡령 비리를 고발하고, 더 이상 대학원생들이 이로 인한 금전적, 정신적 피해를 받지 않도록 목소리를 높이고자 합니다.

안녕~
오랜만이다!

벌써 4학년
개강이라니 어떡하냐?
그러게ㅋㅋ

건축공학을 전공한 나는
학부 시절 내내 건축공학에 대해
큰 흥미를 갖지 못했고,

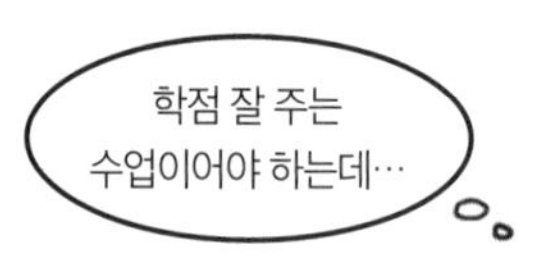
학점 잘 주는
수업이어야 하는데…

요즘 대학생들의 일과이자,
일종의 지향점이 되어버린
'스펙 쌓기'에나 공을 들이고 있었다.

그런데 4학년 1학기,

안녕하세요, 여러분!

처음 뵙겠습니다.
오늘부터 이 수업을 담당하게 됐어요.

건축물 구조를 주로 다루는 우리 과에
〈친환경 건축〉을 하시는
젊고 멋진 교수님이 새로 부임하셨다.

헉, 저렇게 젊은데 교수라고?
웅성
대박…
웅성

건축을 향한 교수님의 열정,
연구자로서의 성실하고
꾸준한 모습들이,
무기력한 나를 자극했다.

나는 건축을
내 삶의 방향키로 잡았고,
본격적인 공부를 위해
대학원에 진학하였다.

〈친환경 건축〉은 우리 연구실 내에서도
전망 있는 분야로 주목받았고,
그만큼 연구재단이나 국가기관에서 발주하는
연구가 많았다.

이 분야에서 워낙 유명하고,
실력 있는 교수님이었던지라
꽤 많은 연구를 수주하여 연구실에 배당해주셨다.

능력도 좋으시네.

수업을 듣고, 공부를 하고,
또다시 출근을 하고…….

고된 하루가 이어졌지만,
더 노력하자, 조금만 더 노력하자,
마음을 가다듬고 열심히 일했다.

첫 월급이 들어오는 날이었다.

어, 선배!!
저 월급 확인해봤는데요.
50만 원밖에 안 들어와서…
50? 맞게 들어간 건데?
너 혹시 석사 180만 원 듣고 들어왔니?
…아니에요?
그런 거 없어.
우리가 월급쟁이도 아니고…
그냥 주는 대로 받아.

여건으로만 말하자면,
우리 연구실은 석사생 최대 180만 원,
박사생 250만 원을 받으며 일을 할 수 있는 여건이다.
그만큼 수주받은 일도 많고, 처리해야 할 일도 산더미다.
그러나 열정 가득한 우리들의 손바닥에 쥐어진 돈은
그 뜨거운 열정에 비해
터무니없이 적은 수준이었다.

따지고 보면
내가 좋아서 하는
일이니까…

물론 내가 좋아하는 공부를 하며
인건비도 받을 수 있다는 그 사실에 나는,
나의 근무 시간과 초과되는 근무량에 대해서는
크게 생각해보지 않았던 것 같다.

저 먼저 가볼게요~
금요일은 맨날
칼퇴근하네.

그렇긴 하지만 연구실 밖에서의 삶에 대해서는
그 누구도 보장해주지 않았기 때문에
온전히 나 혼자 감당해야 하는 몫이 되었다.

아, 네…
저 금요일에 항상
과외 있어서요.
……
왜요?
음, 그러는 거…
교수님이 별로 안 좋아해.
나도 그래서
부모님이 도와주시잖아.
지난번에…
연구에 집중 안 하고 쓸데없는 돈벌이에
시간 낭비한다고 혼났거든.

…

쌤! 다 풀었다니까요!
휘익
아, 어, 응…

누군가에겐 쓸데없는 돈벌이가,
또 다른 누군가에겐 삶을 유지하는
최종의 수단이다.

나의 대학원 생활이 돈 앞에서,
점점 작아지고 있었다.

석사 2년 차,
연구실의 연구비 회계업무를
담당하게 되었다.

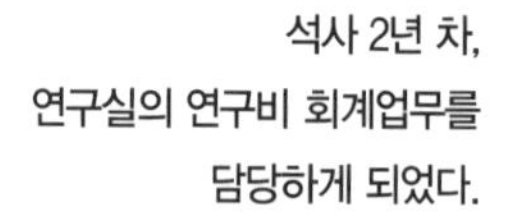

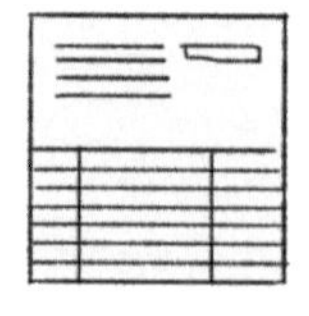

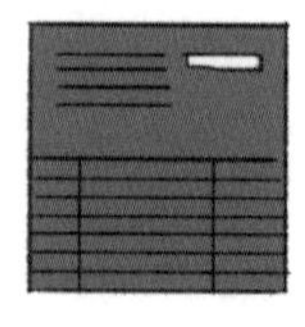

국가기관에서 보내주는 연구비는
꽤나 까다로운 영수증 처리 규정이 있었다.

이거 재료비로 달아 둬.

그렇지만,
교수가 전체 연구비를 어느 명목으로
썼는지에 대해서는 마음대로 해도 상관없었다.
쓰지도 않은 돈을 썼다고 거짓말하기 쉬운 구조였다.

우리가 PC를
이만큼 샀다고?

2,370,000원…

그럴 리가
없는데…

수고가 많아~

영수증 처리를 하면서도 나는
떳떳하지 못했고 부끄러웠다.

네, L기업
연구지원 담당자시죠?
저희 지원금 말인데요…
아, 안녕하세요!
교수님께 직접 보냈는데
확인 안 되셨나요?

네? 직접… 요?
그건 확인을…
네, 알겠습니다.

영수증 처리 규정이 없는 거나 다름없는
사기업의 연구비는 아예 처음부터
교수의 통장으로 들어갔다.
L기업에 수주받은 프로젝트에 썼던 재료들은
정부지원 연구비로 충당했으니,
L기업의 연구비는 아마 모두 교수의 통장으로 들어갔을 것이다.

하지도 않은 회의를 명목으로
연구비 영수증을 처리한 경우도
정말 많았다

오, 선배! 결산 내요?
응…

저희 이번에는
'회의' 몇 번 했어요?ㅋㅋ
그러지 마~~

하하… 세 번으로
되어 있을걸…

그런데 회의비 명목으로
연구실에 주어진 카드는
회의가 진행된 장소 반경 일정 거리 내에서
회식을 진행해야 한다

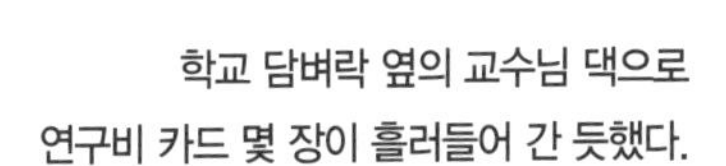
학교 담벼락 옆의 교수님 댁으로
연구비 카드 몇 장이 흘러들어 간 듯했다.

선배들의 말에 따르면,
교수님의 아내분께서 종종 치킨을 사드시거나,
집 근처에서 식사를 할 때에 쓰인다고 했다.

이렇게 교수님의 아내분이 쓴 돈이
회의비 명목으로 영수증 처리되는 것이다.

우리들의 연구비가 정확히 어떻게 지출되는 것인지는
아무도 알지 못한다.
아니, 모두가 암묵적으로 알고,
암묵적으로 모르고 있는 것이었다.

이번 달 결산
메일 보냈어요.

그래? 고마워~

음!
깔끔하게 잘했네.

네…교수님.
저 근데
드릴 말씀이…

학부시절 강단에 서 계신
교수님의 강의를 들으며
건축에 대한 꿈을 키워왔던 나는,
연구실에 앉아 비겁하게 영수처리를 하는
교수님의 모습을 보는 것을 마지막으로,
대학원을 떠났다.

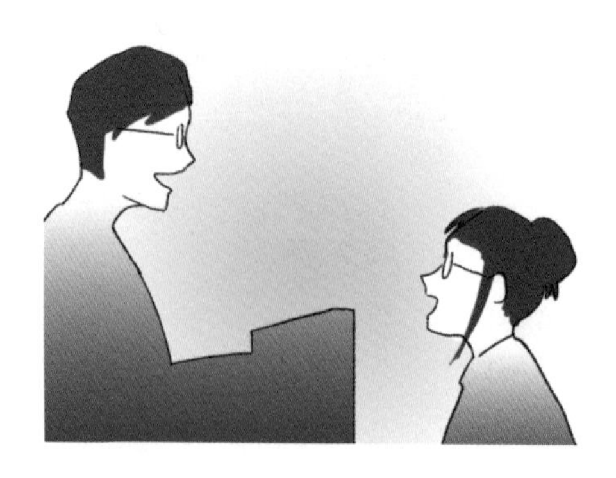

한때 가장 존경했던 교수가

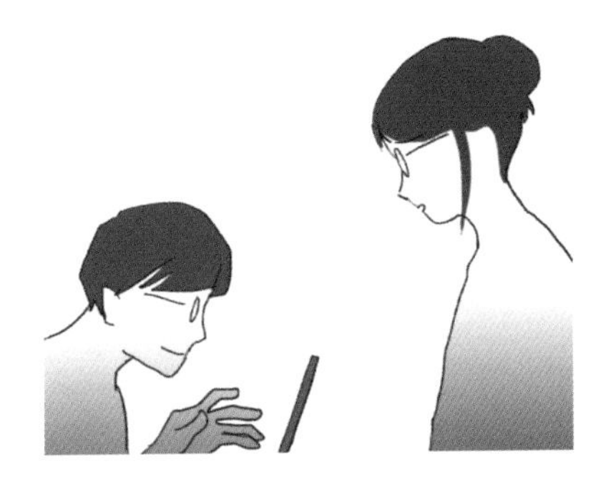

다만 금고나 관리하는
비겁자에 불과하다는 것을 알고 나니,
가슴 한켠이 쓸쓸하고 아팠다.

그러나 비겁한 그의 금고는,
내가 관리한 것이기도 했다.

계속 잘할 줄 알았는데,
그만두지 말고 좀 더 해보지.

뭐, 여튼
다른 곳 가서도
잘 해내길 바란다.

감사합니다.

마지막으로 교문을 나서면서
느꼈던 것은 허무함이었다.
이렇게 끝난 것이다.
이렇게…….

주임님 이거
확인좀요!

네에~

나는 지금은 건축이 아닌
다른 분야에서
일하고 있다.

이로써 사회의 온전한 부품이 된 나는,
나의 지난 대학원 생활을 생각해본다.

이제는 억울하고
화가 난다고 말할 수 있다.
대학원생은 냉정한 사회 속의
그 어떤 부품도 되지 못한다.

부조리함에 대해 부당하다고
이야기할 목소리조차
갖지 못한다.

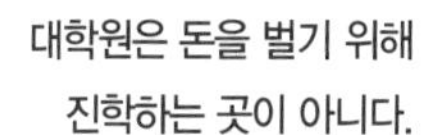

대학원은 돈을 벌기 위해
진학하는 곳이 아니다.

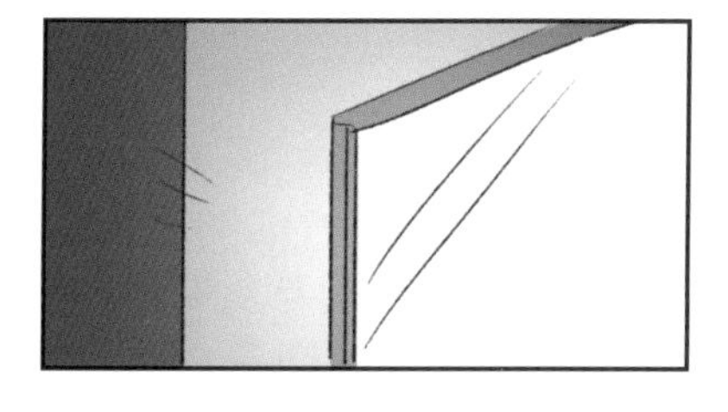

그러나 대학원생이 투자한 시간과
노동의 결과에 대해서는 최소한의 보장이 필요하며,
대학원생에게 줄 돈이 없다면 적어도
교수에게 부당하게 돌아가는 몫은 없어야 한다고 생각한다.

학문의 장場인
대학원이라는 곳의 현실은 어쩌면,
사회비리의 축소판인지도 모르겠다.

저벅

지금 이 순간에도
나의 전철을 밟으며
점점 작아지는 자신의 존재를,
고개 들어 바라보지 못하는
대학원생들이 있을 것이다.

나의 이 목소리가,
조금이나마 그들에게
공감이 되고 힘이 되어,
조금 더 나은 삶을
살 수 있게 되기를 바란다

제 10 화

같은 처지끼리

⁝ 세습되는 대학원 똥군기 ⁝

까딱
까딱

대학원생들에게는 교수와의 관계도 중요하지만 선배와의 관계 역시 이에 못지않게 중요합니다. 처음 대학원에 들어간 학생들에게 학교생활 전반과 학과의 분위기를 알려주고, 공부에 대해 조언해줄 수 있는 존재가 바로 선배이기 때문입니다. 대학원에서는 대학원에서대로 지켜야 할 규정과 제도적 절차들이 있으니, 이런 부분에 있어서 손해를 보지 않으려면 대학원생들은 선배들의 조언을 잘 새겨들어야 할 것입니다.

대학원을 졸업한 뒤에도 선배와의 연결고리는 중요할 수밖에 없습니다. 학계에 남아 연구를 계속하든 아니면 기업체에 취직하여 사회생활을 하든, 나보다 몇 걸음 더 앞서간 선배에게 도움을 청하고 조언을 구할 일이 아주 많기 때문이지요. 그러나 문제는 선배들과의 관계가 지나친 군기 문화로 이어지는 것입니다.

최근 많은 논란을 야기했던 이른바 '대학 똥군기'에 대한 보도문은, 선배들의 권위가 후배들의 자존감에 큰 상처를 입힐 정도로 심하게 왜곡된 우리 사회의 한 단면을 보여줍니다. 대학원에서도 이런 군기 문화가 남아 있는 곳이 종종 있습니다.

인권문제의 유형	%
성희롱/성폭행	3.3%
넓은 의미의 폭력(폭언, 욕설, 인격적 모욕, 음주강요, 행사동원 및 강제집합 등)	5.1%
넓은 의미의 차별(출신학교, 나이, 소속 및 학과 등)	9.8%
교육/연구 상의 횡포(부적절한 업무지시, 업무로 인한 수업결석, 논문 대리 작성, 연구의 일부/전체 대리 수행)	10.4%
기타	6.5%

서울대학교 인권센터에서 2015년 7월에 간행한 「2014년 서울대학교 대학원생 인권실태 및 제도개선조사 보고서」에 따르면, 동료 및 선후배와의 관계에서 인권 문제를 경험한 적 있다고 응답한 사람들은 대개 위의 표와 같은 유형의 피해를 받고 있습니다.

씁쓸함을 감출 길이 없습니다. 안 그래도 많은 이유로 힘이 드는 '대학원생'들인데, 같은 처지끼리 폭력적 언동과 차별, 부적절한 업무지시라니요? 더군다나 이러한 문제가 발생해도 진로 상의 불이익 등을 염려하여 자기 처지를 말할 수 없는 대학원생들의 현실을 고려해본다면 정말 끔찍한 일이 아닐 수 없을 것입니다. 우리는 어서 이러한 상황에 제동을 걸어야만 합니다. 그렇지 않으면, 지금까지 늘 그래 왔듯이 군기와 폭력은 대물림되고 말 것이니까요.

웹툰 〈10화 : 같은 처지끼리〉는 이러한 문제의식을 담고 있습니다. 선배에 대한 예의를 강조하면서 자신이 하기 싫은 일을 모조리 후배에게 떠넘기는 선배 대학원생과, 개인의 사정으로 선배의 부탁을 거절했다는 이유만으로 '버르장머리 없는 인간' 취급을 받아야 하는 후배 대학원생의 이야기입니다.

서울역
Seoul Station

진작 취업을
했어야 했다.

에휴 내 신세야
오늘도 야근이구나~
지친다 지쳐.
확 때려치울 수도 없고…
하하하~

각박해진 요즘 같은 세상에서
무엇을 한들 만만치 않겠지만
그래도 돈을 받고
힘든 편이 나으니까.

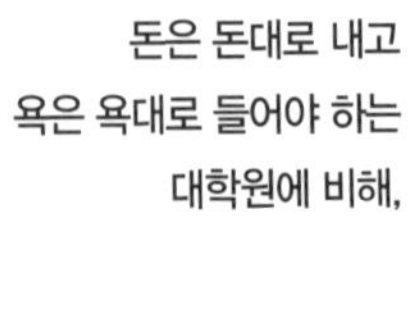

돈은 돈대로 내고
욕은 욕대로 들어야 하는
대학원에 비해,

반짝

사회는 훨씬
공정하다고 생각한다.

2년간 몸담고 있었던 대학원을 떠난 건
지난해 겨울이었다.

후회 같은 건 없다.
공부를 더 하고 싶다는 생각도
이제는 사라졌다.

하아

지도교수에게
작별 인사 같은 것도
하지 않았다.

인간들에게 질렸다.
이곳에 있으면 나는
'수료증이나 받으러 온 년',
'버르장머리 없는 년',
'개념 없는 년'이 될 뿐이다.

그나마 내게 우호적이었던 동기들조차
내가 잘못한 거라고 몰아붙였다.
대체 무엇을, 나는 무엇을 잘못했던 것일까?
돌이켜 생각해보아도 나는 잘 모르겠다.

3년 전
이제 대학원도 붙었겠다
입학하기 전까지
더 열심히 벌어야겠네.
여기요~
네~
우와 부재중 통화가
대체 몇 개야??
메시지
부재중 전화를 보고
연락드립니다.
누구세요?
전송
따르르르
…여보세요?
어, 나 김방(김** 교수님 방) 선배인데
연구실에서 일하게 해주려고 연락했어.
그런데 너
전화를 왜 이렇게 안 받니?
버르장머리 없이.

아, 죄송합니다. 선배님.
제가 아르바이트 중이었어서
통화가 곤란한 상황이었어요.
죄송합니다.

그래, 그러면
연구실에서 일하는 거로
해도 되겠지?

연구실…?

거기서 뭘 하는지도 모르는데
대뜸 한다고 하기엔…

버럭

대답 안 할래?
아, 예!

먼저 연락해주셔서 감사합니다.
그런데 제가 김** 교수님 방 제자가 아니기도 하고,
아직 학교생활에 대해 잘 몰라서
바로 말씀드리기가 조금 어려울 것 같아요.
고민해보고 연락드려도 괜찮을까요?

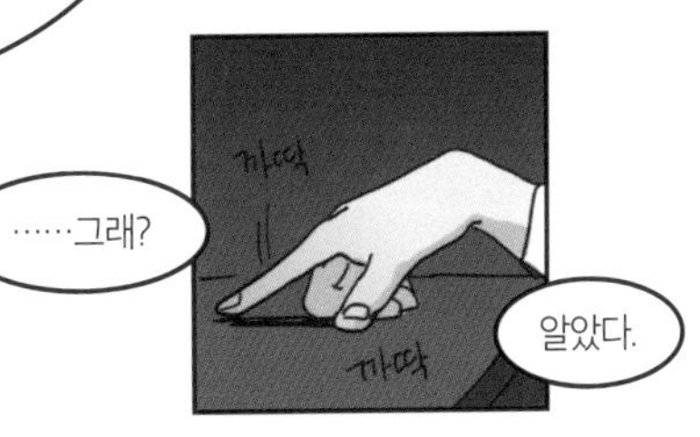

……그래?
까딱
까딱
알았다.

뚜-
뚜-
은지 씨, 퇴근 안 해?

마음속에 불안감이
차오르기 시작했다.

... 거는 중 ...

왜.

안녕하세요, 지난번에
연락드린 김은지입니다.
지난번 연구실 일 말인데요..
대학원 생활에 조금 적응하고 나서
결정해도 될까요?

어~ 니 맘대로 해.

뚝-

1월은 그렇게 지나갔다.

내 평판이 안 좋아졌다는 사실을 알게 되었을 때는
BK21 연구 학생 등록을 하러 K연구소를 찾았을 때였다.

저…
연구 학생 서류
내려 왔는데요.

아 그래요?

뚜벅
뚜벅

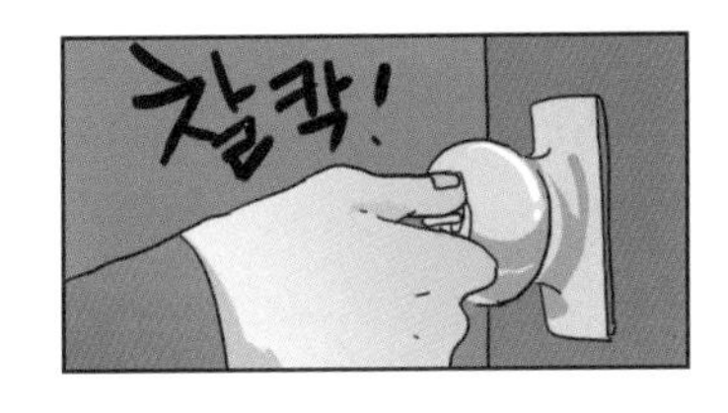
찰칵!

네가 김은지니?
네가 그렇게
버르장머리가 없다면서?
너 선배 전화 그따위로
받는 거 아니야.
선배가 전화하면
바로바로 받아야지.
안 그래?

네……? 무슨…….
모르는 척하지 마.
네가 애리 전화도 제대로 안 받고
연구실 자리도 걷어찼다며?
신입 주제에
어디 선배님이 주신 기회를
그따위로 대해?

얼떨떨한 채, 나는 거의 15분 동안
쉴 새 없이 혼이 났던 것 같다.

이름만 아는 처음 보는 선배에게,
이해할 수 없는 잘못으로,
온갖 고성과 욕설을 계속 들었다.
당황한 나는 그저 "죄송하다"는 말만 되풀이했을 뿐이다.

연구소 바깥으로 나왔을 때,
나는 무슨 상황인지 이해하지 못한 채,
그저 뭔가 대단히
잘못 돌아가고 있다는 사실만
어렴풋이 떠올리고 있었다.

그래, 선배의 제안을 거절했던 내게
잘못이 있을지도 모른다.
하지만 어쩔 수 없는 일이 아닌가.
나 역시 인생의 모험으로서
대학원을 선택한 것이었고, 더 물러날 곳이 없었다.
오는 제안을 다 받으면서 내 생활을 포기하다 보면,
자기 공부가 무엇보다도 중요한 대학원에서
내가 살아갈 길이 있을 성싶지 않았던 것뿐이다.

어, 애리야.

그리고
나중에 와서 알게 된 것이지만,

김은지 걔,
오늘 서류 내러 왔더라.

나에게 욕을 퍼부었던 연구소의
한혜정 선배와, 애초에 나에게 전화를
걸었던 최애리 선배는
아주 절친한 친구 사이였고

너 말대로 진짜
어이없는 년이던데?ㅋㅋ
말로만 죄송하다 하지
자기가 뭘 잘못했나
모르는 눈치더라.

한혜정 선배가 나에게 퍼부었던 욕지거리들도
모두 사전에 계획된 것이었다.

아무래도 얘는 계속 좀
지켜봐야겠어.
BK21

한혜정 선배가 보내기로 되어 있었던
BK21 연구 학생 등록과 관련된 이메일이
나에게만 계획적으로 늦게 도착했고
내가 서류를 내러 갔던 날은
이미 BK21 연구 학생 등록이 끝난 시점이었다.

요즘애들 진짜 정신머리가 있긴 한 거야? 여기가 어떤 덴 줄 알고 함부로 들어와서는…

늦게라도 서류를 받아주겠다는
명목으로 선심 쓰듯,
일부러 나를 그날 오전에 도착하게 만들어서
아무도 없는 사무실에서 문을 잠근 채
나에게 욕설을 해댄 것이었다.

언젠가는 이런 적도 있었다.

이번 주말은 오랜만에 일도 별로 없고
집에나 한번 내려가 볼까?

띠링~
필참 공지.
석사 2학기 밑으로는
토요일 7시까지
S치킨집으로 모일
한혜정, 최애리 선배
부르신다.

뚝
토요일 7시까지

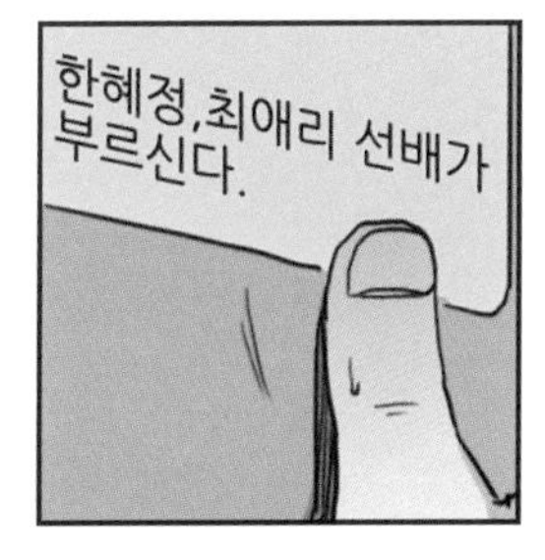
한혜정, 최애리 선배가 부르신다.

양지은

나는 한 달이 넘게 전주에 있는 집에
내려가 보지 못했기 때문에
너무나 집에 가고 싶었다.

그러나 차마 친구에게
그 말을 할 수 없었다.

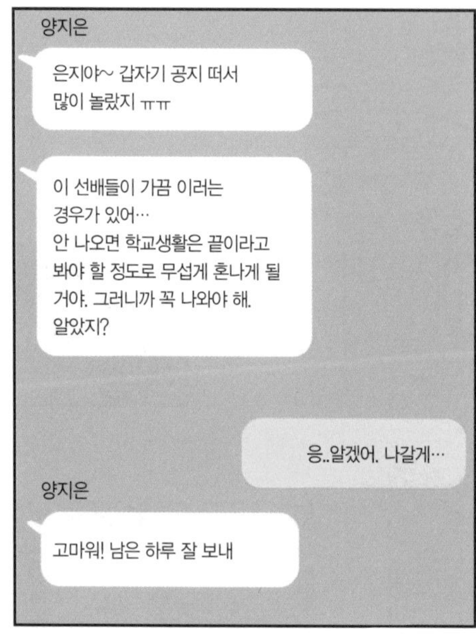
양지은
은지야~ 갑자기 공지 떠서
많이 놀랐지 ㅠㅠ
이 선배들이 가끔 이러는
경우가 있어…
안 나오면 학교생활은 끝이라고
봐야 할 정도로 무섭게 혼나게 될
거야. 그러니까 꼭 나와야 해.
알았지?
응..알겠어. 나갈게…
양지은
고마워! 남은 하루 잘 보내

내가 빠지게 되면 비난은
그 친구가 받게 될 것이
불을 보듯 뻔했다.

그렇지만…
부모님이 너무 보고 싶었다.
오랜만에 집밥을 먹고 싶었다.

서울에 올라와서 얼마나 외로웠는가.
말도 안 되는 이유로 혼이 나고 욕을 먹고,
개념 없는 년으로 몇몇의 선배들에게 찍혀버렸는데
정말로, 그때는 집에 돌아가고 싶었다.

다행스럽게도 그런 내 마음을 알아줬던
고마운 선배가 한 분 있었다.
같은 지도교수님 밑에서 공부하고 있던
석사 2학기의 김성은 선배였다.

가끔 학과 분위기를 이상하게 만드는 새끼들이 있는데, 너무 신경쓰지 마.

토요일 모임이 있다고 한 것도 곧 취소하게 할 거야.

그 선배에게는 전하지 못했지만,
나는 그 말을 들었을 때처럼
큰 고마움을 느낀 적이 없다.
구세주 같았달까?

야! 그따위로
군기 잡을 시간 있으면
애들 괴롭히지 말고
니들 논문이나 똑바로 쓰지그래?

그 선배는 석사 2학기이기는 하지만
'똥군기'를 부리던 선배들과 나이가 똑같아서
꽤 큰 소리를 낼 수 있는 분이었다.

그러나 김성은 선배 같은 분이 한마디 했다고 해서
똥군기를 부리는 그 선배들의 행동이 고쳐지는 것은 아니다.

한혜정, 최애리 선배의 무리에 속한
서미진 선배의 남자친구가 연구 성과도 좋고 평판이 좋아서
괜히 잘못 건드렸다간 불편한 일들이 많이 생길 것이라고
모두 생각하고 있었기 때문이다.

너 요새 조금씩
말이 짧아진다?
학교생활 참 쉽지?
아, 아닙니다.
죄송합니다…

기껏해야 같은 무리에 속한 한 사람의 남자친구가
좋은 능력을 갖추고 있다고 해서
다른 사람에게 아무렇지도 않게 폭력을 가할 수 있다는 것.

나는 대학원이 이렇게나 비이성적인 조직인 줄
그때서야 깨달았던 것 같다.
저항도, 비판도 없이 윗사람에게 복종해야 한다는 것.
학문의 기본은 비판 정신인데,
이래서는 비판도 발전도 있을 수 없지 않을까?

아니다.
이런 이야기도 할 필요가 없다.
이젠 내 일이 아니니까.

나는 이제 취직을 할 것이다.
나는 지금 면접을 보러 P기업에 와 있고,
곧 내게 면접 순서가
돌아올 것이다.

그런데 김성은 선배는 어떻게 그들에게 그렇게
강하게 굴 수 있었던 것일까?
보복 같은 게 두렵지는 않았을까?
김성은 선배는 괜찮을까?
잘 모르겠다.
그의 소식을 들은 지 오래되었다.

46번~50번 지원자까지
들어오세요

언젠가 선배들과 함께
스터디를 했던 날이 있다.

발제를 맡았던 쪽은
박사 3학기 과정을 다니고 있었던
김학철 선배였다.

그날의 스터디 분위기는
정말 엉망이었다.

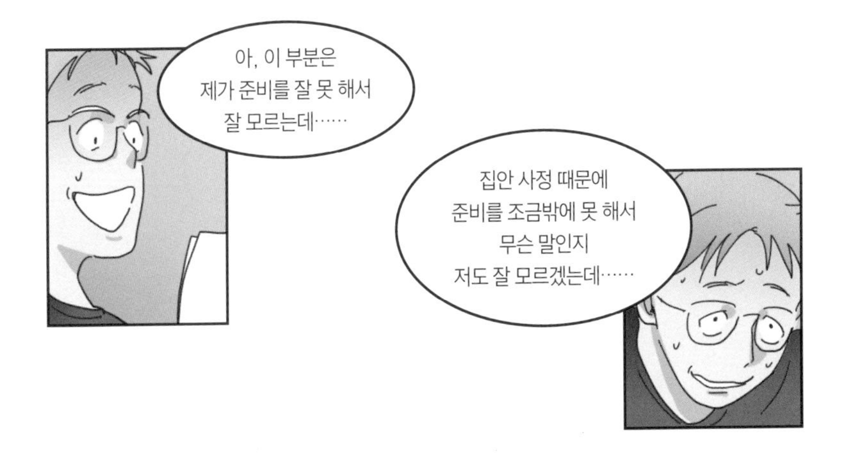
아, 이 부분은 제가 준비를 잘 못 해서 잘 모르는데……
집안 사정 때문에 준비를 조금밖에 못 해서 무슨 말인지 저도 잘 모르겠는데……

발제자가 이 모양이면
그날의 스터디는
도움도 안 되고 시간만
허비하는 꼴이 되고 만다.

이 부분은 원래
제가 발제를 해야 하는 게
맞긴 한데,
제가 요즘 바쁘니까
석사 후배들이
발제를 해왔으면 좋겠네요.

어이없는 소리였다.
박사 3학기씩이나 되어서도 잘 이해 못하는 발제를
이제 막 석사과정을 시작한 후배들에게 미루다니…….

은지 네가 제일 기수가 낮지?
그럼 공부할 것도 없을 테니까
네가 발제를 좀 해와.

도대체 기수가 낮으면 공부할 게 없고
시간 여유가 있다는 논리는 어디서 나온 것일까?

게다가 석사 2학기인 오태석도 있는데
굳이 나를 콕 집어서 시켜야 하는 이유도 알 수 없었다.
굳이 발제를 넘겨야 하겠다면
한 학기라도 더 공부한 사람에게 넘겨야 맞는 게 아닐까.

저도 아직은 배우는 단계라
이 부분 발제는 많이 부담스러워요.
게다가 이번 주에는 다른 수업이랑
스터디 발제들도 몰려 있어서….

결과적으로 말해
내 거절은 받아들여지지 않았다.

선배가 바빠서 발제 좀 넘긴 건데,
그걸 못 해주겠다고 하냐?
어이가 없네.

너 버르장머리 없다고 소문 났더만
그게 다 이유가 있었구나?
석사 1학기 주제에…
석사 1학기가 공부를 하면 얼마나 한다고,
시간 없다는 핑계를 대냐?
너 나중에 또 한소리 듣기 전에
그냥 네가 발제해라.

다행히도 평소에 친하게 지내던
석사 2학기 오태석이
발제준비를 도와주겠다고 말해서
진땀을 빼가며 겨우
발제 준비를 해가긴 했지만,

선배라는 사람이 자기 공부도 제대로 못 하면서
후배들한테 발제를 떠넘겨버리다니
어처구니없는 경험이었다.

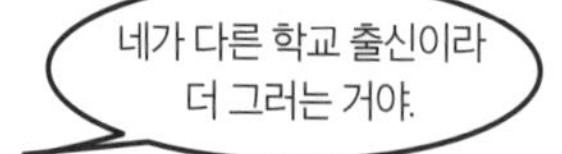
네가 다른 학교 출신이라
더 그러는 거야.

응?

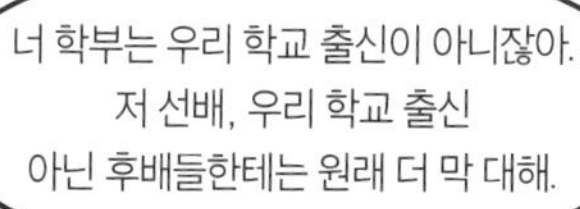
너 학부는 우리 학교 출신이 아니잖아.
저 선배, 우리 학교 출신
아닌 후배들한테는 원래 더 막 대해.

그런 게 어딨어……?
그 선배도 다른 학교
출신이잖아.

…
그냥 그러려니 해라.
나는 이 학교 출신이니까
함부로 못 대하는 것 같긴 한데…

대학원에 대한 환멸감이 점점 더 커졌다.
이제는 학부를 다른 데서 졸업했다는 이유로
차별까지 받아야 한다니.

……

공부만 열심히 하면 되는 줄 알았는데,
다른 학교 출신이라는 이유로,
처음에 선배들한테 좀 잘못 보였다는 이유로
대학원 생활을 시작하는 시기부터
나는 정말 불합리한 대우를 받아야 했다.

내 친구 중에서도
대학원에 다니는 친구들이
더러 있었지만,
'사생활'조차 보장되지
않는 경우는 흔치 않았다.

학과 분위기 자체가 선배의 권력(?)을 절대시하는 분위기였기 때문에
우리 과에 소속된 대학원생들은 사생활조차 제대로 보장받지 못했던 것이다.

이번 학기부터
학원에서 알바하게 됐어요.
아, 진짜?
그거 다른 선배들한테 다 보고한 거지?
아니면 엄청 혼날걸?
아, 그, 그런가요…

지금 생각해보면 정말로 어처구니없는 것이었지만,
나는 바로 선배들에게 양해를 구하는 카톡을 돌렸다.

선배님, 안녕하세요.
저는 석사1학기
김은지라고 합니다.
저 이번 달부터 등록금과
생활비를 벌기 위해
학원에서 일하게 되었습니다.
수업과 스터디와는 별개로
개인시간에 근무하는 것이기
때문에 학업에 큰 문제는

이미 멘탈이 구겨진 쿠킹호일처럼
되어버렸기 때문이다.

띠리링~

응~ 그러려고 대학원 들어왔지?
그렇게 학교 바깥일 하면서
인맥이나 쌓고 너 원하는 거 하면서
잘 지내~

어디 가서 박**선생님
지도제자란 말은 절대 하지 마라.
부끄러우니까.

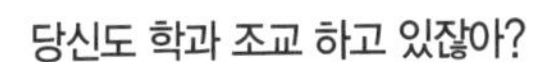
당신도 학과 조교 하고 있잖아?

왜 내가 이렇게까지 욕을 먹어야 한다는 말인가?
등록금 벌이를 위해 하게 된 학원 강사 일이
지도교수님의 명예에 먹칠이라도 한단 말인가?

하긴,
학과 분위기가 늘 이런 식이긴 했다.

이거 완전
양아치 아냐?
하고 싶은 거 다 하고
벌고 싶은 거 다 벌면

인생 참 쉽다,
그치?

학업 이외에 과외나 아르바이트를 해도
비난이 쏟아졌고,
조교 일을 해도 뭐라고 했으니까.

웃기는 건, 개인적인 일은 하면 안 되지만
'교수가 시키는 잡일'은
무조건 해야 한다는 거였다.

스터디가 일찍
끝나는 날도 다 있네~
그래 봤자 11시지만.
405
까톡!

405
...

405
터덜

이외에도 아주 많았다.
내 연구에 필요한 스터디만
골라서 참여한다고
혼났고,

아파서 스터디 참석
못 했다는 이유로
귀가 찢어지는 고성으로
욕을 먹었고,

학교에서 진행된 학회 때
집도 가까우면서
새벽까지 자리도 안 지키고
일찍 들어갔다고 욕먹었으며,

화장하고 다닐 시간에
공부하라는 욕도
참 많이 먹었다.

욕을 먹으면 먹을수록,
학과에서 나는 점점 더 '개념 없는 년' 취급을 받았다.

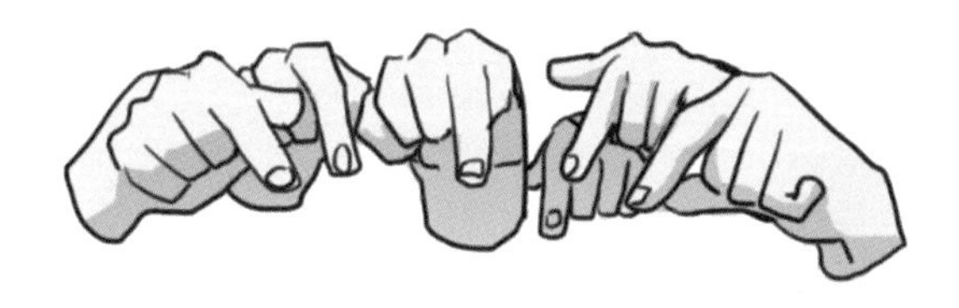

나는 아직도 이해가 가지 않는다.

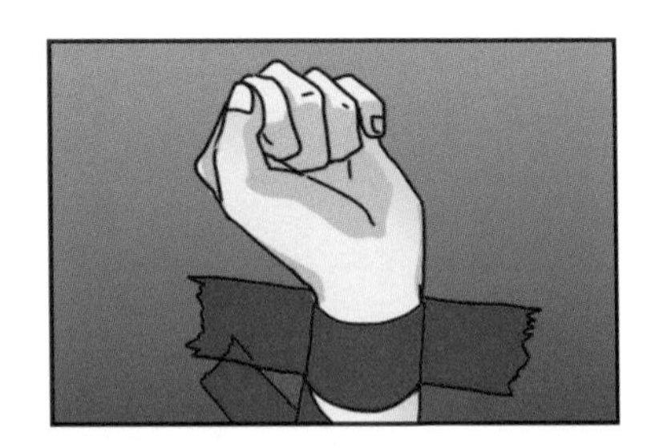

뭐가 어떻든 내 대학원 생활인데
왜 내 사생활은 보장받지 못해야 했던 걸까?

왜 모든 걸 선배들 기준에 맞춰야 했던 것일까?

어째서 당신들의 기준이
'틀린 기준'일 수도 있다는 생각은
해보지 않는 것인가?

나보다 11살이나 많은 내 동기는
학비와 생활비를 벌지 않으면
대학원에 다닐 수 없는 상황이었다.

그는 부산까지 내려가서 학원 강사 일까지 해가며
정말로, 정말로 열심히 공부를 해나갔다.
학교에서 수업이 끝나자마자 부산으로 내려가
강사 일을 해나갔던 그가 얼마나 힘들었을지
나는 상상도 안 갈 정도이다.

오빠, 저희 지금 저녁 먹을 건데 같이 가실래요?

아, 미안! 오늘 내려가야 해서~

야 쟤
또 나간다ㅋㅋ
양아치가 학위세탁
하려고 고생이 많네~

하하
하하
…하

오빠 오늘은 일찍
내려가네요?

아니.
내려가는 거
아니야…

하긴, 우리 학과의 문화가
이렇게 된 건
선배들만의 탓이 아닐지도 모른다.

야. 한혜정.

정점엔 교수가 있었다.

내가 애들 다 불러오라고 했지.
왜 이것밖에 안 왔어?
그리고 지금 시간 봐라.
3분 전에 맞춰서 오라고 했잖아.
내 말이 우스워??

내 지도교수였던 사람의 경우에는 자기 아들의
수행평가 설문지까지 대신 만들어 돌리게 한 적도 있었다.

만약 그가 시키는 일을 거부하면?
고성과 폭언이 날아왔다.

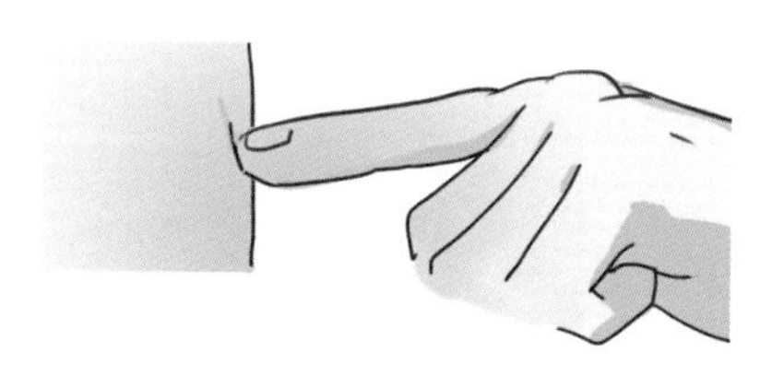

너네 내가 아주 많이 참았다.
근데 참는 데도 한계가 있는 거야.
대체 후배 교육을 어떻게 하면
이렇게 돼? 어??
죄송합니다…
너희 계속 정신 못 차리지?
이렇게 선배 욕 먹이니까 좋냐?

똥군기는 세습된다.
인간은 자신이 당했던 부당한 대우를 고치려 하기 보다는,
'너도 당해봐라'라는 식으로 물려주는 경우가 많다.

이것이 바로 내가
대학원을 떠나
P기업에 면접을 보러 온
이유이다.

나라 전체가
'지옥'에 비유되고 있는 상황에서,
기업체에 취직하는 일이
정말 현명한 선택인지는 잘 모르겠다.

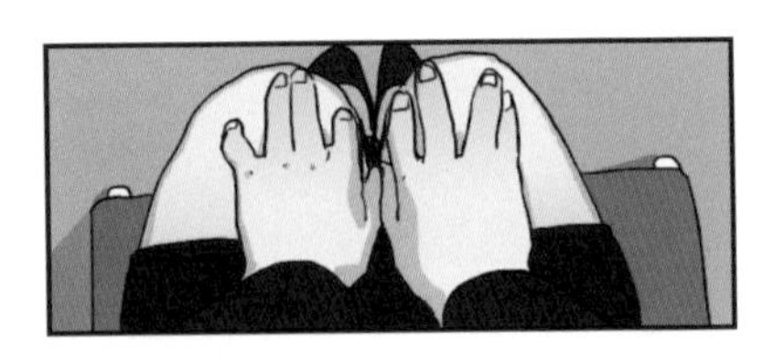

기업이라고 해서 폭언과 고성과 욕설과 똥군기가
전혀 없으리라고 생각지는 않는다.
하지만 아무래도 좋다.
대학원에서는 돈까지 내가면서 군기에 시달렸지만,
적어도 기업에서는 '돈을 주면서' 괴롭힐 테니까.

51번부터 55번 지원자까지
들어오세요.

어쨌든,
대학원만 아니라면 좋은 것이다.

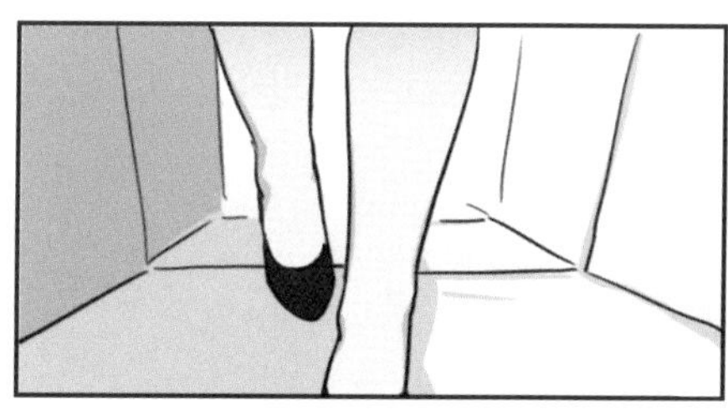

무엇도 두렵지 않다.
이제 다 새롭게 시작하는 것이다.

"대학원생은 자신의 교육 및 연구와 관계가 없는 부당한 일을 거부할 권리를 가진다."

- 고려대학교 대학원생 권리장전 제10조 1항 -

FIN

제 11 화

가만히 있지 말라

: 대학원학생회의 외로운 투쟁 :

지금까지 여러분께 많은 이야기를 들려드렸습니다. 나쁜 권력자로 군림하는 교수들의 이야기와 높은 등록금 문제, 연구 성과 갈취, 대학원생의 육아 문제, 조교를 하면서 겪는 부당한 일들……. 이처럼 한국의 대학원에는 참 많은 문제가 산적해 있습니다.

그러나 현재 상황으로서는 이러한 문제들이 대학원에서 터졌을 때 문제제기를 할 수 있는 방법이 거의 존재하지 않습니다. '대학원학생회'가 필요한 것도 이 때문입니다. 현실의 부조리를 '비판'하고 '견제'하는 세력이 아무도 없다면 현실은 점점 더 나빠지고 말 것인데, 대학원생 혼자서 이런 일들을 해낼 수는 없을 테니까요. 대학원생들의 연구 환경과 인권을 짓밟고 유린하는 학내의 부조리들을 비판함으로써 실질적 개선 방안을 만들어내는 것, 그것이 바로 대학원학생회의 가장 큰 목표라고 할 수 있습니다.

그러나 만일 학생회 구성원들에게 적절한 관심과 지원이 주어지지 않는다면 대학원학생회가 유지되기는 어려울 수밖에 없을 것입니다. 아무런 지원 없이 수많은 대학원생의 권익을 보호해 나가는 일은 불가능에 가까우니까요. 대학원학생회에 더 많은 지원과 관심이 필요하다고 생각하는 이유가 바로 여기에 있습니다.

오늘날 대학원 학생회의 현실은 녹록지 않습니다. 대학원 학제를 가지고 있는 전국의 대학교들 가운데, '대학원학생회'를 갖춘 학교는 고작 몇몇 학교에 불과하고 그마저도 보통은 투표율이 높지 않은 형편입니다. 대학원생들은 기본적으로 몹시 바쁜 하루하루를 살아갈 수밖에 없기에 학업 이외의 일들을 신경 쓰기란 어려우니까요.

대학원생들이 학생회에 관심을 가질 수 없는 이유가 이뿐만은 아닐 것입니다. 대학원학생회가 별로 힘이 없어 보인다는 사실 또한 중요한 이유라고 생각합니다. 대학원 학생회의 규모는 매우 작으며, 대학원 학생회의 구성원들 또한 자신의 논문과 연구활동, 그리고 등록금 벌이에 주력해야 하는 대학원생이기 때문에 활동의 역량이 떨어질 수밖에 없지요. 현실이 이러하다 보니 많은 대학원생도 학생회를 통해 뭔가를 '바꿀 수 있다'는 생각은 진작 내려놓게 된 것일지 모르겠습니다.

하지만 저희는 확신합니다. 여러분의 더 많은 관심과 지원이 있다면, 한국 대학원의 현실을 조금씩 바꿔나가는 데 대학원학생회들이 큰 몫을 기여할 수 있으리라는 사실을 말입니다. 지난겨울, 저희 〈슬픈 대학원생들의 초상〉 연재팀은 장학금 한 푼 받지 않으면서 학생회 활동을 유지해왔던 '영웅적인' 학생회 구성원들의 이야기를 알게 되었습니다. 사연을 주신 분은 모 대학의 대학원학생회장으로서, 이러저러한 열악한 조건에도 불구하고 대학원학생회 활동을 지속해오신 분이었습니다. 이 웹툰의 말미에 나오듯, 열심히 활동하는 대학원학생회에게 응답해주시기 바랍니다. 여러분들의 응답이 올 때까지 저희는 내내 기다리고 있을 것입니다.

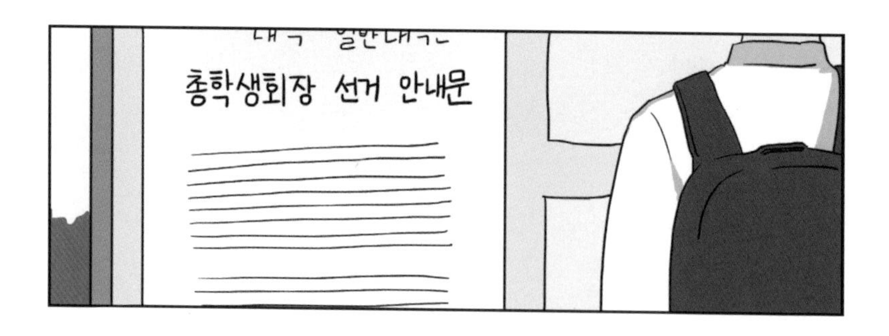
총학생회장 선거 안내문

우리 학교인
T대학교 일반대학원에서
총학생회장 직접선거가
시행된 것은 18년 만에 처음 있는
아주 이례적인 일이었다.

우리 학교의 경우,
총학생회 집행부원에게
부여되는 장학금이 없었던 만큼,
직선제를 유지하기가 어려웠을 것이다.
우리는 나날이 공부에 힘쓰고
연구 아이디어를 고민해야 하는
한 명의 대학원생이었으니까.

총 학 생

그러나
간접선거로 꾸려지는
학생회의 구조를 계속 유지해서는
안 되겠다는 생각이 들었다.

2012년, 제23대 총학생회장이 대학원장에게
대학원 문제 해결을 위해 면담을 요청했을 때,
다음과 같은 말이 돌아왔다.

"직접선거도 아니고 간접선거로 당선된 회장이니
대표성을 인정할 수 없다."

학생들의 필요성에 의해 만들어진 자치기구가
학교의 허락을 받아야만 한다니.
장학금도 안 주는 학생회를 자발적으로 꾸려나가는 학생들이 있다면,
그건 오히려 응원하고 지원해줘야 하는 일이 아닐까.

2012년
더 의견 없으시면…
그럼 오늘 회의
여기서 마치겠습니다.
총학생회장 후보

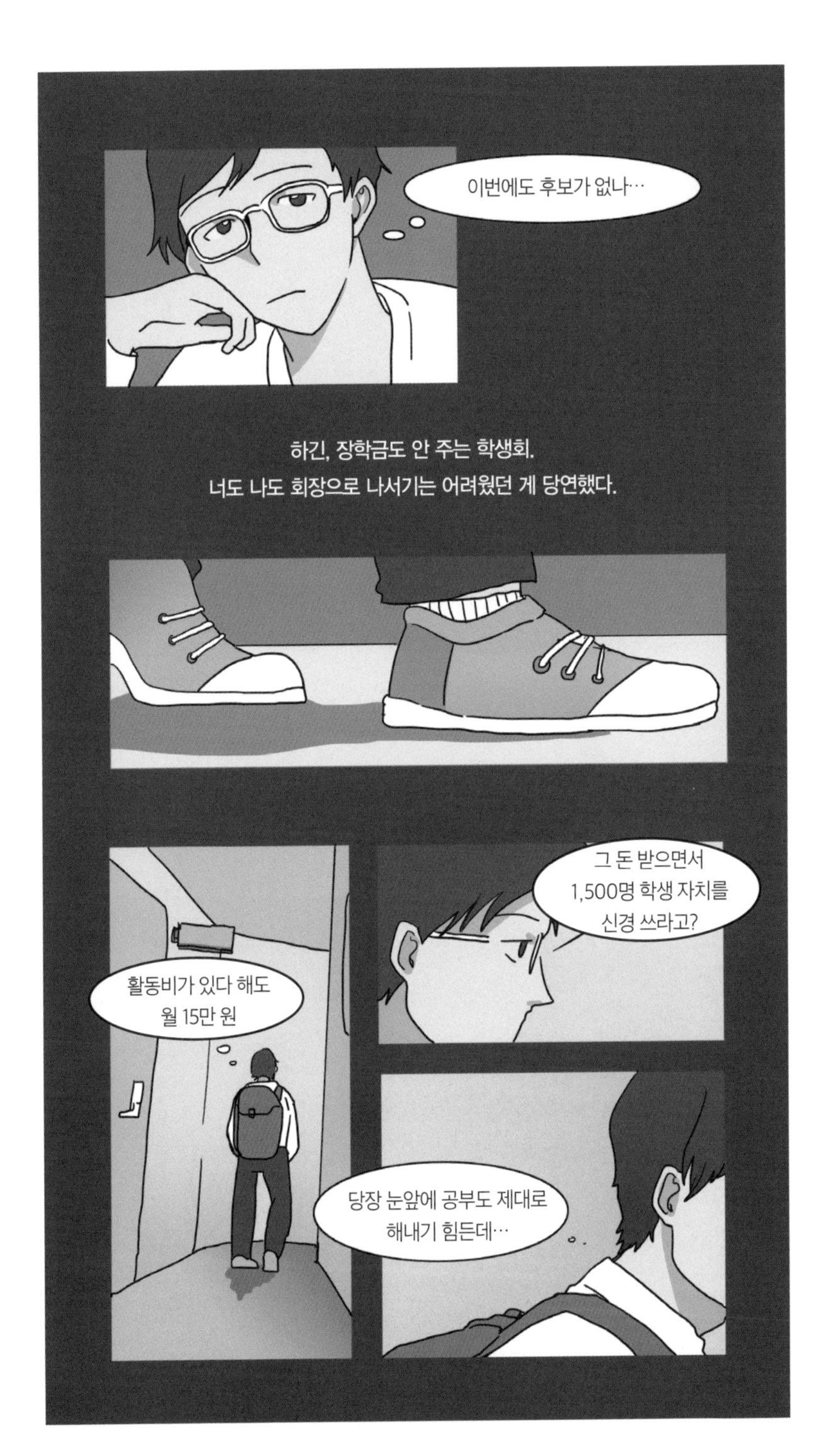
이번에도 후보가 없나…
하긴, 장학금도 안 주는 학생회.
너도 나도 회장으로 나서기는 어려웠던 게 당연했다.
활동비가 있다 해도 월 15만 원
그 돈 받으면서 1,500명 학생 자치를 신경 쓰라고?
당장 눈앞에 공부도 제대로 해내기 힘든데…

게다가 내가 나선다고 해서 문제가 해결되나?
어려움을 감수하고 내가 나섰을 때,
어떤 길을 밟아나가야 할지
전혀 알 길이 없다.

후보가 없었으므로,
총학생회는 비상대책위원회 형태로 1년간 존속하게 된다.

결국, 나는 총학생회 활동을 그만두었다.
대학원도 1년 휴학하기로 결정했다.

고시원

휴학도 휴학이었지만……
내 한 몸 건사하기 바빴다.
내 문제가 아니라 생각하며 눈감고 지냈다.

2014년,
나는 마음을 잡고 학교에 돌아왔다.

형, 오랜만이다!
복학했네!
야, 오랜만이다.
총학 일은 잘하고 있어?
아…
안타깝지만…
형 있을 때랑 달라진 거
하나도 없어.
…뭐?
아직도?
뭐 어쩌겠어,
다들 각자 살아남는 것도
바쁜데.
내 인생만
신경 써도 힘들지…

왜 그랬을까?
나는 다시 해보자는 생각이 들었다.

야, 내가 회장 출마하면
도와줄래?
뭐? 진짜로?
회장직 엄청 힘들걸.
힘들고 어려운 건 나도 알아.
그런데 가만히 있는다고
등록금이 내려가냐?
학교가 우리를 대우해주냐?

누구도 나서지 않으면
아무도
이런 문제가 있다는
사실조차 모를 것이다.

2014년 4월 초 나는 회장선거에 출마하여
열심히 선거운동을 했다.

그리고…

다들 뉴스 보셨어요?
지금…

선거 운동에 한창이던 4월 16일,
제주도로 향하던 여객선 세월호가 침몰했다.

나는 그 바로 다음 주에 당선되었다.

1년간, 적지 않은 일을 했다.
등록금 관련 기자회견에
참석하기도 하고,

학내 언론지를 발간하거나,

대학원 인권 관련해서
공동으로 입장표명을 하기도 했다.

침몰한 배와 함께 임기를 시작하면서,
나는 이 대학원 사회가 마치 세월호 같다는 생각을
지울 수 없었다.

어쩌면 우리의 교육시스템도 그날 침몰한 배처럼
조용히 가라앉고 있는 것은 아닐까.
그리고 대학원은 그 정점에 있는 게 아닐까.

2014년 12월,
임기가 끝난 뒤에도 나는 계속 회장직을 유지해야 했다.

오늘이 후보자 등록 마지막 날인데…

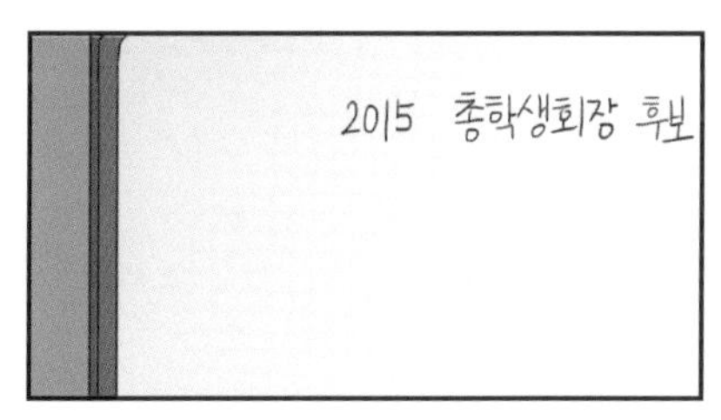
2015 총학생회장 후보

나 다음으로 선거에 나설
후보가 없었기 때문이다.

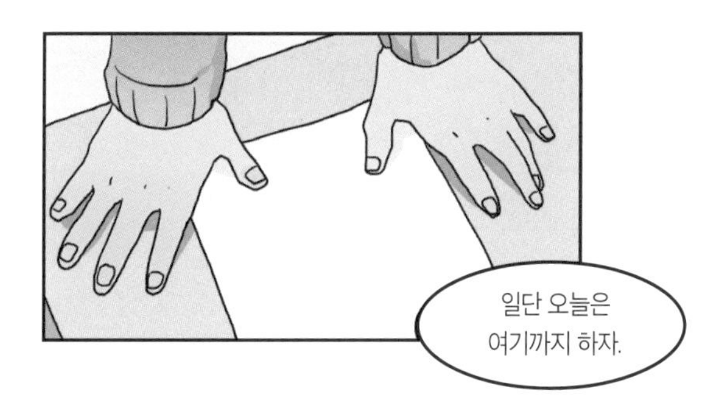
일단 오늘은 여기까지 하자.

내가 여기서 그만두면 열심히 했던 결과는
임기였던 1년에 한정될 뿐이다.
업무는 계승될 수 없게 되고 말 것이다.

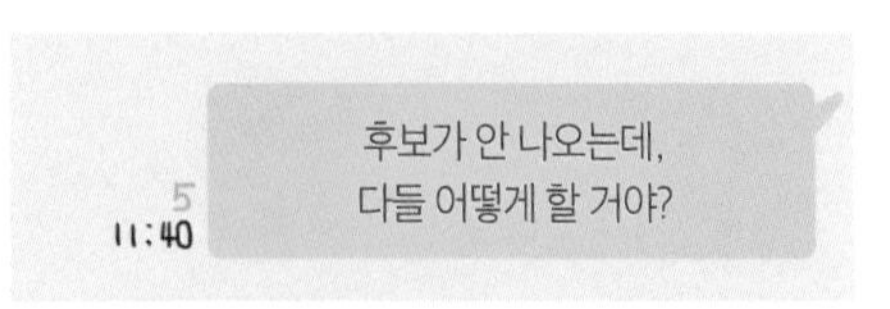
후보가 안 나오는데,
다들 어떻게 할 거야?
5
11:40

여기서 그만둘까? 아니면 계속?

A는 이제 논문을 써야 할 시기가 다가올 텐데,
K는 교수님이 꽉 붙잡고 공부를 시키신다고 하니
학생회 일을 하는 것은 여러모로 버거울 텐데.

그들도 계속할까?

후보가 안 나오는데,
다들 어떻게 할 거야?
00:57

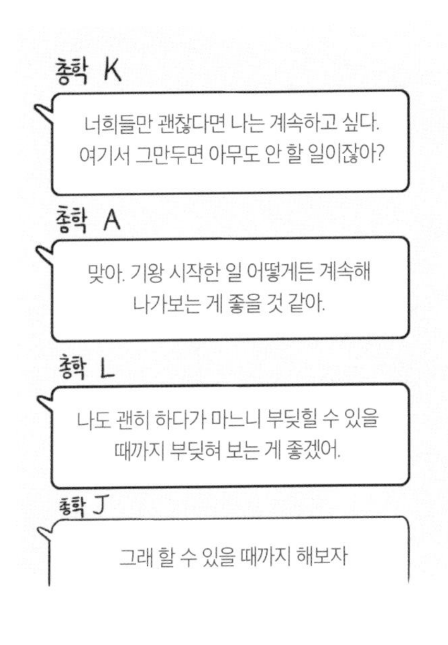
총학 K
너희들만 괜찮다면 나는 계속하고 싶다.
여기서 그만두면 아무도 안 할 일이잖아?
총학 A
맞아. 기왕 시작한 일 어떻게든 계속해
나가보는 게 좋을 것 같아.
총학 L
나도 괜히 하다가 마느니 부딪힐 수 있을
때까지 부딪혀 보는 게 좋겠어.
총학 J
그래 할 수 있을 때까지 해보자

그래. 여기서 그만두면 우리 학교에서
학생회가 완전히 사라지는 모습을 지켜보아야만 한다.
변한 것 하나 없이 학생회가 없어지면, 공식적으로 문제를 제기하는
사람들 자체가 사라질 것이다.

그렇게 우리는,
마치 4월 16일, 그날 침몰한 배처럼 가라앉을지도 모른다.
'가만히 있으라'는 무언의 명령에 순종한 채…….

다시 시작할 것이다. 가만히 있지는 않을 것이다.

우리는 비상대책위원회를 꾸렸다.
그리고 2015년…
만만한 대학원 등록금을 올리는 학교를 저지하기 위해
등록금심의위원회에 들어가고자 했다.

어째서 들어갈 수 없다는 겁니까??

지금은
그럴 상황이 아니에요.
무슨 말씀이십니까?
등록금심의위원회는 당연히
대학원생 대표도 들어가야 하는 상황 아닙니까?
아니, 너무
갑자기 주장하지 마시고…

학칙을 어떻게 한 번에 바꿉니까.
우선 교학 팀이랑 얘기하세요.
쾅

교학부
당연히 비대위는
등심위 참여 자격이 없죠.

비대위의 목적은
회장 선거 아닌가요? 당연히 그 외에는
권한을 줄 수 없어요.

네? 그렇지만 회칙으로도
학생과 관련된 중요한 사안에서는
비대위 대표가 직무를 이행하도록
되어 있는데요.
글쎄 그건 모르겠고,
오신 김에 뭐 하나
지금 말씀드릴게요.

예산안 말인데,

여기서 지금 집행 가능한 부분은
선거시행 비용밖에 없어요.
다른 건 다 허가 못 합니다.
2015 사업비용
네???

아니, 엄연한
학생자치기구인데,
학생회비조차 지급이 안 되면
어쩌자는 겁니까? 학생 복지 사업도
하지 말라는 이야기입니까?

선거가 목적인 조직에
그 외 돈이 왜 필요하죠?
사비로 해결하셔야지요.

좀 더 강경하게 대처했어야 했는데…
어쩔 수가 없었어.

미안하다…

…저기,
이런 타이밍에
말하니 좀 그렇지만

빨리 말했어야 했는데…
더 이상 비대위에 못 있을 것 같다.
당장 논문 작업에
돈벌이까지 하느라
너무 힘들어…

우리는 곧
졸업할 텐데… 그러면
여기 계속 있을 수가 없어.

그렇지……

각자 사정
다 이해해.

일단 여기까지 하자.

학교와의 투쟁에서 학교는 언제나 우리의 요구를 묵살하고,
지연하고, 더 높은 기준을 제시하는 방식으로 대응해왔으며
그 대응은 항상 그들에게 유리한 결과를 가져왔던 것 같다.
이 팍팍한 현실 안에서 대학원생으로 살아간다는 것 자체가 버겁다 보니,
일단 우리의 의견이 가로막히고 지연돼버리면
우리는 그만큼 더 지치고 무력해질 수밖에 없던 것이다.

2015년 5월 초,
다시금 학생회장 선거 공고문을 부착하였으나
이번에도 회장 출마자가 없어 선거가 불발되었다.

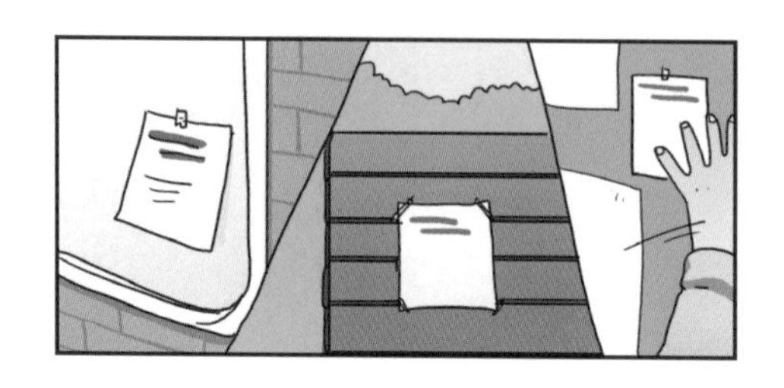

그러나 여전히,
가만히 있을 수 없는 날들이 반복되었다.
대학원 행정의 불합리를 폭로하는 전단을 만들어 붙이기도 하고,

교학과에 대학원
총학생회장학금 신설을 격하게
요구하기도 했으나

여전히 비상대책위원회와는
선거 이외의
그 어떤 사안에 대하여도
논의할 수 없다는 입장만을
밝힐 따름이었다.

지루한 날들이 계속 이어졌다.

투쟁이 길어짐에 따라
그나마 남아있던 구성원들도 점차 지쳐갔다.

학위 논문 준비,
졸업 준비만으로도
우리 모두가 바빴다.

아, 이번 발제
진짜 아슬아슬했다.
형, 왔어?

수고가 많아.
수업까지 듣고
일까지 신경 쓰고.

에이, 이 정도는
너도…
난
못 하겠어.

뭘?
이거 말이야.
아무도 알아주지도 않는 일.
더는 힘들어.

최선을 다했지만,
돌아오는 것 하나 없이
1,500명을 책임지기가 쉽지 않더라.

형도 옛날에 했던 말이니까
이해해주겠지?

함께 일하던 한 사람마저 떠나가니 아득해졌다.
그러나 오기가 생겼던 것일까?
어려운 상황에도 불구하고 총학생회가
이대로 끝날 수는 없다고 생각했다.

아니, 오히려 더 의지가 강해졌다.

우리는 과연, 대학원 과정까지 밟아오면서
우리가 받아온 그 교육수준에 걸맞은 시민의식, 주인의식을 성장시켜왔는가.
학교의 주인으로 온당한 권리를 되찾겠다는 그 포부.
이것들이 내 머릿속을 계속 배회했다.

2015년 새 학기가 시작되어,
나는 대학원 내 학과 대표자들을 모아 회의를 개최했다.

회의를 하면서,
나는 학교 제도의 미비함으로 인해
가장 눈에 띄게 문제를 겪고 있는
사람들을 눈앞에 두고,

결코 학생회는 없어져선 안 되며,
반드시 임기를 넘겨야만 하겠다고
마음을 다잡을 수 있었다.

그렇게 다시금 총학생회장 선거 공고를 냈을 때,
기적적으로 두 팀이 입후보자 신청서를 제출했다.

경선으로 11월 첫째 주에
직접선거를 치를 수 있게 되었다.

2015년 12월 30일, 새로 시작한 차기 학생회장단과 함께
등록금심의위원회 회의장을 찾았다.

1년이 지났지만 여전히 대학원생 대표는
회의위원진 명단에 이름을 올리지 못한 상태였다.

대체 학생 대표가
들어갈 수 없는 이유가
어디 있습니까?

우선은 교학팀이랑
먼저 대화를 하시라구요.
학칙이 그렇게 쉽게
한 번에 바뀌는 게 아니라서
들어올 권한이 없습니다!
허어…

1년 전과 하나도 바뀐 것 없는 답변이었다.

이 철벽 같은 학교 안에서,
그럼에도 대학원생들의
온당한 권리를 되찾고자
변화를 만들어나갈 일을

대학원
총학생회를
등심위대표로

대학원

이제 차기 회장단이
해나가야 할 것이다.

이 웹툰을 보는 여러분께 말하고 싶다.
길고 긴 임기를 마치면서, 비록 많은 것을 희생해야 했던 시간이었으나,
어떤 힘든 상황에서도 처음 했던 약속을 저버리지 않았다는 점,
대학교가 학생들을 상대로 벌이고 있는
이 불합리한 행태에 대하여 끝까지 눈감지 않을 수 있었다는 점에 대해,
나는 나름의 자부심을 가지고 있다.

나아가, 비록 힘은 들지언정 우리의 삶을 개선해나가기 위한
이 같은 작업이 우리 자신을 위해 필요한 것이라고 생각한다.
만약, 당신도 그렇게 생각한다면
앞으로도 이런 일을 해나가야 할 사람들의
의지가 좌절되는 일이 없게끔 함께하는 구성원들이
힘을 합쳐 도와나가야 되는 것이 아닐까.

대학원이라는 작은 사회,
그러나 우리 대한민국 사회의 모든 것이
축소판으로 담겨 있는 이곳.

어쩌면 세월호처럼, 많은 이가 승선해 있으나
어떤 비전도 찾기 어려운 어두운 바닷속으로
가라앉아가는지도 모를 이곳.

그럼에도 이 안에서
목소리를 내고자 노력하는 시도들이
모쪼록 대학원을 다니는 우리 학생들 모두에게,
혹은 그렇게 노력하는 개인의 인생에,
혹은 우리 사회 전체에,
긍정적인 빛을 던질 수 있기만을 바랄 따름이다.

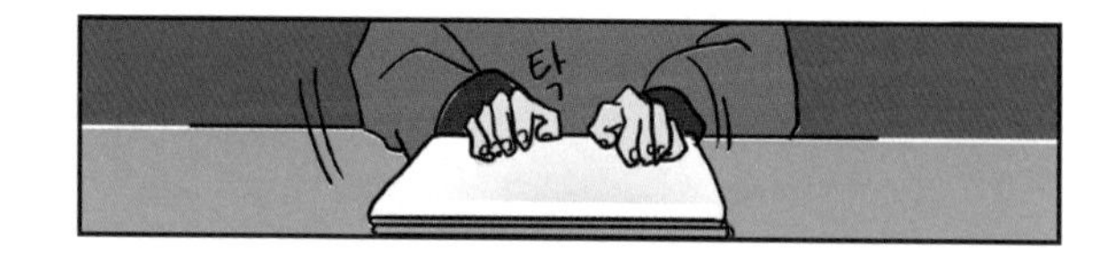
탁

이야기는 여기까지이다.
'가만히 있지 말라.'
당신의 응답을 내내 기다리겠다.

"대학원생은 대학원 자치조직을 구성·운영하고
그 활동에 참여할 권리를 가지며,
이러한 활동에 대해 학교 측으로부터 지원받을 권리가 있다."

- 고려대학교 대학원생 권리장전 제8조 1항 -

FIN